Choisir d'aimer

Choisir d'aimer

Frère Roger de Taizé
1915-2005

Photos :

Arte e Colore, Milano (70/71)
Bund/ Bohm (83a)
Ciric (54, 80a)
La Camera chiara (86/87)
Yvan Dalain (14/15, 28)
ddp (78b)
Felici (75)
Jacques Houzel/ La Vie (34)
Klaus Hunsicker (61)
Keystone (37)
Hans Lachmann (52/53, 108, 114/115)
Sabine Leutenegger
(58/59, 102/103, 118, 121, 122, 123, 128)
Arturo Mari (78a)
Edition des Musées Nationaux (23)
Johannes Neuhauser (90/91)
Paris Match/ Marie-Claire (39)
Toni Schneiders (31, 63)
Hans Schreiner (40)
John Taylor/ WCC (48, 88)
D.R. (26, 68, 80b, 107)
et Taizé

© Ateliers et Presses de Taizé, 2006
ISBN 10 : 285040 231 1
ISBN 13 : 978 2 85040 231 9
Communauté, 71250 Taizé, tél. : 03 85 50 30 30
community@taize.fr – www.taize.fr

Hommage à frère Roger

Le départ de frère Roger laisse un grand vide. Sa mort tragique nous a bouleversés. Mais, nous les frères, nous avons aussi vécu la période qui a suivi dans une profonde reconnaissance pour ce qu'il nous a laissé, et ce livre voudrait en être une expression.

Cette reconnaissance, une foule innombrable à travers le monde l'a partagée avec nous. Cela nous a soutenus. Nous étions comme portés par Dieu. Et, dans son épreuve, notre petite communauté a fait cette expérience d'unité qu'ont vécue les premiers chrétiens : n'être qu'un cœur et qu'une âme.

Pour frère Roger, rechercher une réconciliation entre chrétiens n'était pas un thème de réflexion, c'était une évidence. Pour lui, ce qui importait avant tout, c'était vivre l'Évangile et le communiquer aux autres. Et l'Évangile, on ne peut le vivre qu'ensemble. Être séparés n'a aucun sens.

Très jeune déjà, il a eu l'intuition qu'une vie de communauté pouvait être un signe de réconciliation, une vie qui devient signe. C'est pourquoi il a pensé réunir des hommes qui cherchent d'abord à se réconcilier : c'est la vocation première de Taizé, constituer ce qu'il a appelé « une parabole de communion », un petit signe visible de réconciliation.

Mais la vie monastique avait disparu des Églises de la Réforme et il venait d'une famille protestante. Alors, sans renier ses origines, il a créé une communauté qui plongeait ses racines dans l'Église indivise, au-delà du protestantisme, et qui par son existence même se liait de manière indissoluble à la tradition catholique et orthodoxe. Une fois que les fondements furent assurés, au début des années soixante-dix, et qu'il y eut aussi des frères catholiques, il ne cessa pas pour autant de créer notre communauté, et cela jusqu'à son dernier souffle.

Concernant son cheminement personnel, il disait : « Marqué par le témoignage de la vie de ma grand-mère, et encore assez jeune, j'ai trouvé à sa suite ma propre identité de chrétien en réconciliant en moi-même la foi de mes origines avec le mystère de la foi catholique, sans rupture de communion avec quiconque. »

L'héritage est énorme. Et surtout : l'héritage est vivant. Frère Roger nous a laissé des écrits. Mais à ses yeux, ses propres écrits nécessitaient constamment d'être adaptés à une nouvelle situation. Même la règle de la communauté, qui restera le texte de base de notre vie commune, il l'a retravaillée à plusieurs reprises. Comme s'il voulait nous entraîner à ne pas nous attacher à la lettre ou à des structures, mais toujours à nous abandonner au souffle de l'Esprit Saint.

Par son Esprit, Dieu est présent à chaque être humain. Frère Roger avait dans son cœur tous les humains, de toutes les nations, en particulier les jeunes et les enfants. Il était habité d'une passion pour la communion. Souvent il répétait ces mots : « Le Christ n'est pas venu sur la terre pour créer une nouvelle religion, mais pour offrir à tout être humain une communion en Dieu. » Cette communion unique qu'est l'Église est là pour tous, sans exception.

Rendre cette communion accessible aux jeunes, enlever les obstacles sur leur chemin, était une des préoccupations qui l'habitaient. Il savait qu'un des plus grands obstacles était l'image d'un Dieu considéré comme juge sévère qui fait peur. En lui, une intuition est alors devenue toujours plus claire et il faisait tout pour la transmettre par sa propre vie : Dieu ne peut qu'aimer. Le théologien orthodoxe Olivier Clément rappelait encore récemment que cette insistance de frère Roger sur l'amour de Dieu a marqué la fin d'une époque où, dans les différentes confessions chrétiennes, on craignait un Dieu qui punit.

Dans sa jeunesse, frère Roger avait connu des chrétiens qui pensaient que l'Évangile imposait avec sévérité des fardeaux aux croyants ; à cause de cela, il y eut une période où la foi lui devint difficile et où le doute pointa en lui. Sa vie durant, la confiance en Dieu est restée un vrai combat. Dans ce combat se trouve une des origines de son ouverture aux jeunes générations et de son désir de les écouter. Il disait lui-même qu'il voulait « chercher à tout comprendre de l'autre ».

Beaucoup de jeunes avaient de lui l'image d'un homme toujours prêt à les écouter, chaque soir après la prière, pendant des heures s'il le fallait. Et quand sa fatigue devint trop grande pour qu'il puisse écouter chacun, il restait quand même le soir dans l'église et donnait à ceux qui s'approchaient de lui une simple bénédiction, posant sa main sur leur front.

Jusqu'à la fin, avec un élan et un courage exceptionnels, il nous a entraînés sur le chemin de l'ouverture aux autres. Aucune détresse, physique ou morale, ne l'effrayait au point qu'il lui tourne le dos. Il accourait ! Et plus d'une fois il était tellement absorbé par une situation concrète de souffrance qu'il semblait oublier d'autres choses tout aussi importantes. Il reflétait alors ce berger de la parabole de Jésus qui oublie 99 brebis pour s'occuper d'une seule qui est en train de se perdre.

Quand on parle avec Geneviève, sa sœur, on est frappé par la ressemblance avec son frère : éviter toute parole dure, tout jugement définitif. Cela remonte loin dans leur famille, cela vient d'une mère exceptionnelle. Bien sûr un tel trait de caractère a ses revers. Mais ce qui compte c'est que frère Roger ait su créer avec ce don ! Et nous, les frères, nous avons vu que cela le conduisait parfois aux limites de ce qu'un être humain peut porter.

On a dit de lui qu'il avait un cœur universel. Avec une bonté qui reste étonnante. La bonté du cœur n'est pas un mot vide, mais une force capable de transformer le monde parce que, à travers elle, Dieu est à l'œuvre. Face au mal, la bonté du cœur est une réalité vulnérable, mais la vie donnée de frère Roger est un gage que la paix de Dieu aura le dernier mot pour chacune et chacun sur notre terre.

Constamment il cherchait à concrétiser la compassion du cœur, surtout pour les pauvres. Il citait volontiers saint Augustin : « Aime et dis-le par ta vie. » Cela l'entraînait à accomplir des gestes parfois surprenants. On l'a vu revenir d'un séjour à Calcutta un bébé sur les bras, une petite fille que lui avait confiée Mère

Teresa, avec l'espoir qu'un départ pour l'Europe lui sauverait la vie, ce qui fut en effet le cas. On l'a vu accueillir et installer dans le village de Taizé des veuves vietnamiennes avec de nombreux enfants, qu'il avait découvertes lorsqu'il visitait un camp de réfugiés en Thaïlande.

Être concret : cela se manifestait aussi dans sa capacité d'arranger les lieux. Il n'aimait pas construire des bâtiments. Quand c'était inévitable, alors il fallait que ce soit tout simple, très bas, fait si possible de matériaux de récupération. Mais il aimait transformer les lieux. Et avec très peu il cherchait à créer de la beauté. La construction d'une église à Taizé a été inévitable à un moment donné, mais il a beaucoup résisté au projet et, ensuite, il en a constamment repris et modifié les arrangements. J'ai vu cela même dans le quartier pauvre de Mathare Valley, au Kenya, où nous avons vécu quelques semaines, avant que des frères s'y installent pour des années. Dans cette pauvre baraque, au cœur de la misère, il a trouvé moyen de mettre un peu de beauté avec presque rien. Comme il le disait, nous voudrions tout faire pour rendre la vie belle à ceux qui nous entourent.

Frère Roger se référait souvent aux béatitudes et disait parfois de lui-même : « Je suis un pauvre. » Il nous appelait, nous les frères, à ne pas être des maîtres spirituels mais avant tout des hommes d'écoute. Il parlait de son ministère de prieur comme celui d'un « pauvre serviteur de communion dans la communauté ». Il ne cachait pas sa vulnérabilité.

Maintenant notre petite communauté se sent poussée à continuer sur le chemin qu'il a ouvert. C'est un chemin de confiance. Ce mot « confiance » n'était pas pour lui une expression facile. Il contient un appel : accueillir en grande simplicité l'amour que Dieu a pour chacun, vivre de cet amour, et prendre les risques que cela suppose.

Perdre cette intuition conduirait à imposer des fardeaux à ceux qui viennent chercher l'eau vive. La foi dans cet amour est une réalité toute simple, si simple que tous pourraient l'accueillir. Et cette foi transporte des montagnes. Alors, même si le monde est souvent déchiré par des violences et des conflits, nous pouvons porter sur lui un regard d'espérance.

Frère Alois

Les débuts

L'enfance

Roger Schutz-Marsauche est né le 12 mai 1915 à Provence, petit village de montagne de la Suisse romande. Dernier d'une famille de neuf enfants, il garde de ses premières années un souvenir plein de clarté.

Il y a quelque chose de lumineux dans ce qui nous a été donné de vivre en famille. Mon enfance, loin d'être triste ou solitaire, a souvent été comblée. Beaucoup de souvenirs ont une note joyeuse : le jour de mon anniversaire, quand je dévalais l'escalier pour voir si, au jardin, la pivoine s'était ouverte ; les visites de notre tante Adèle, qui m'emmenait pour de longues promenades et me racontait mille récits de l'histoire de la famille ; les repas de fête. À table nous étions toujours nombreux. Quand j'avais quatre ou cinq ans, l'une de mes sept sœurs m'encourageait à cueillir des fleurs au jardin et à les arranger sur la table. J'ai gardé de cette époque le souci

De Marie-Angély Rebillard, habitante de la ville de Cluny, qui a connu frère Roger dès les débuts : La mort de frère Roger m'a remis en mémoire une visite faite autrefois à sa mère qui rayonnait la sérénité et la paix. Je recevais un jour une dame qui ne pouvait pas accepter la vocation religieuse de sa fille. Je lui ai proposé de rencontrer la mère de frère Roger, que je connaissais bien. Madame Schutz-Marsauche a écouté cette mère volubile et très calmement lui a dit : « Quand mon fils Roger est venu m'annoncer qu'il allait quitter Genève pour suivre sa vocation, il craignait que cela me fasse de la peine. J'ai fermé les yeux un instant puis je lui ai dit : si Dieu t'appelle, pars très vite, ne le fais pas attendre. »

de tout disposer dans la simplicité de la création pour rendre belle la maison. La joie était présente. La joie et la musique.

Ma mère demeure pour moi un témoin de la joie et de la bonté du cœur. Elle avait appris dès son enfance la bienveillance pour chacun : dans sa famille on se refusait à défigurer les autres par une parole qui ridiculise ou qui porte un jugement sévère. Elle donnait à ses propres enfants une confiance totale. Au long de l'existence, même si des épreuves nous interrogent sur nous-mêmes, nous font découvrir nos limites, ce don irremplaçable demeure : « Tu peux avoir confiance en toi. » C'était ce que voulait transmettre ma mère à chacun de ses neuf enfants.

La maison natale

La musique

La musique joue un rôle important dans l'éducation des enfants. La mère a fait des études de chant lyrique. Trois pianos sont installés dans la maison pour que les sept filles puissent s'exercer. Roger y acquiert une grande sensibilité à la musique et au chant. Plus tard il dira souvent : « Le chant est un soutien incomparable pour la prière commune. »

Pourquoi le chant et la musique ont-ils toujours été si importants à Taizé ? Je crois que cela remonte à mon enfance. Ma mère avait fait des études de chant très poussées au Conservatoire de Paris. Sous la direction du compositeur Vincent d'Indy, elle avait chanté comme soliste lors de concerts. Par la suite, tout en devant faire face aux nécessités quotidiennes de ses enfants, elle continuait à travailler le chant tous les jours. Elle avait l'intime désir que son âme s'y épanouisse. Elle y puisait une grande sérénité. Enfant, je l'écoutais souvent chanter le soir quand

De Heiderose, jeune allemande, présente à Taizé le jour de la mort de frère Roger :

« Seigneur, tu gardes mon âme ; ô Dieu, tu connais mon cœur » Ce chant de Taizé a signifié beaucoup pour moi ces derniers jours. Il me fait croire que Dieu a gardé et gardera les âmes des enfants, des frères et de tous ceux qui ont assisté à ce qui est arrivé à Taizé. Le souci mutuel, la communion des uns avec les autres au milieu de la douleur et du désarroi, ont été ce que j'ai expérimenté de plus fort dans ma vie. Je suis profondément reconnaissante d'avoir pu partager ces heures les plus difficiles de la communauté et expérimenter la force de la communion. Les prières, les chants, les silences m'ont soutenue et consolée plus que jamais auparavant. Lors de la prière du soir où frère Roger est mort, on a lu les Béatitudes : « Heureux les artisans de paix… Heureux ceux qui souffrent pour la justice… Heureux êtes-vous, quand on vous persécute à cause de moi… » Depuis le lundi j'étais dans un groupe sur Romains 8 : « Rien ne pourra nous séparer de l'amour de Dieu. » On n'aurait pas pu trouver un texte plus significatif pour cette semaine. Il est devenu si concret. Pendant ces jours, il n'y avait pas de meilleur endroit que l'église, pas de meilleur moment que la prière.

j'étais dans ma chambre, en laissant la porte entrouverte. Une tante de ma mère, Caroline Delachaux, était allée étudier le piano pendant quatre ans en Allemagne, à Weimar. Elle avait passé l'examen de virtuosité avec son professeur, Hans von Bülow, en présence de Franz Liszt. Très joyeuse, elle enseignait la musique à mes sœurs. Geneviève, la plus jeune, était des plus douées.

La famille, le père au centre, Roger à droite avec sa mère

L'adolescence

Après le bonheur de l'enfance, Roger traverse une adolescence éprouvée. En 1931, à l'âge de 16 ans, il est atteint d'une tuberculose pulmonaire. Cette maladie dure plusieurs années, et l'oblige à d'assez longues périodes de repos, qu'il comble par sa passion pour la lecture. Il ne parvient pas à suivre normalement ses études secondaires. Lors d'une rechute, il traverse une période où sa vie est en danger.

Dans ma jeunesse, pendant de longues années, j'ai été immobilisé par la tuberculose pulmonaire, prolongée par une grave rechute. J'ai eu le temps de lire, de méditer, et de découvrir l'appel de Dieu : une vocation qui puisse durer toute la vie. Quand la mort pouvait sembler proche, je le pressentais : plus que le corps, c'est d'abord l'intime de soi-même qui a besoin de guérison. Et la guérison du cœur est avant tout dans une humble confiance en Dieu.

Ces années de maladie m'ont donné de

Du Frère Marcellin Theeuwes, Prieur de la Grande Chartreuse : Les circonstances dramatiques de la mort de frère Roger ne sont qu'un revêtement extérieur qui met encore davantage au grand jour la vulnérabilité qu'il cultivait comme une porte par laquelle, de préférence, Dieu peut entrer auprès de nous.

comprendre que la source du bonheur n'était ni dans les dons prestigieux, ni dans les grandes facilités, mais dans l'humble don de soi pour comprendre les autres avec la bonté du cœur.

Peu à peu, j'ai saisi que même d'une enfance ou d'une jeunesse humiliées pouvaient se dégager des forces créatrices. Jamais on ne souhaiterait qu'un enfant ou un jeune perde l'espérance parce qu'il a été humilié. Mais voilà que, là où une enfance, une jeunesse, a connu de profondes épreuves, liées à l'humiliation, la compassion du Christ était toujours présente. Et de ces épreuves le Christ peut faire naître une audace très vive pour créer en Dieu, pour prendre les risques de la foi. Il vient traverser fragilités, échecs, nuits intérieures. Il les modifie, il les transfigure au long de l'existence.

Roger connaît alors le doute : « Je ne doutais pas de l'existence de Dieu. Ce dont je doutais, c'était de pouvoir vivre en communion avec lui, d'avoir une relation avec lui. Ce fut pour moi comme si je ne pouvais plus prier. » Il cherche à sortir du doute en se disant : « Appuie-toi sur la foi de ceux en qui tu as confiance, tu sais qu'ils ont une grande honnêteté. » Il écrira plus tard des paroles qui lui viennent de cette expérience d'adolescence : « Un cœur simple n'a pas la prétention de tout comprendre de la foi à lui tout seul. Il se dit : ce que je saisis peu, d'autres le comprennent mieux et m'aident à poursuivre le chemin. »

À 21 ans, se rangeant contre son propre gré au désir de son père, il commence des études de théologie à Lausanne puis à Strasbourg. Il aurait préféré faire des études littéraires et devenir écrivain.

Au cours de l'été 1937, sa sœur Lily tombe gravement malade. Les paroles du psaume 27 lui reviennent en mémoire : « C'est ta face, Seigneur, que je cherche. » Ces mots résonnent en lui comme la première prière qu'il puisse prononcer depuis longtemps.

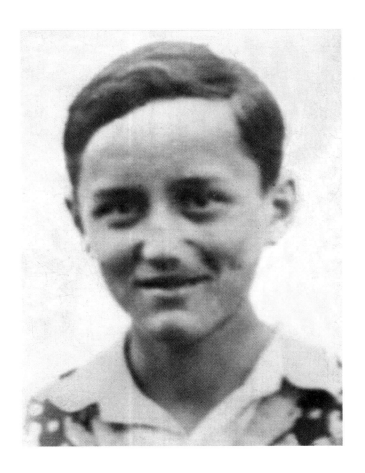

Une clé de la vocation œcuménique

Aux sources de Taizé se trouvent certains événements familiaux. La vie de sa grand-mère a joué un rôle primordial pour Roger.

Au début de la Première Guerre mondiale, ma grand-mère maternelle, veuve, vivait dans le nord de la France, près du lieu des combats. Ses trois fils combattaient sur le

Arrière-grand-mère, grand-mère, mère et sœur aînée de Roger

front. Deux petites bombes étaient tombées sur sa maison, l'une avait creusé un trou dans son jardin, l'autre s'était logée sans exploser parmi les livres de son mari. Néanmoins elle était restée, offrant un abri à ceux qui fuyaient, vieillards, enfants, femmes qui accouchaient. Quand le danger s'approcha, des officiers français la persuadèrent de s'en aller, avec les réfugiés qui étaient dans sa maison. Elle prit le dernier train en partance pour Paris et voyagea dans un wagon à bestiaux.

Après la guerre, elle était habitée du profond désir que plus jamais personne n'ait à revoir ce qu'elle avait vu, revivre ce qu'elle avait vécu. Elle disait : « Des chrétiens séparés se sont combattus par les armes en Europe ; qu'eux au moins se réconcilient, pour tenter d'empêcher une nouvelle guerre. » Elle était de vieille souche évangélique mais, pénétrée d'un esprit de réconciliation, elle se mit à aller à l'église catholique. Par là, elle accomplissait en elle-même une réconciliation sans retard.

Les deux gestes de ma grand-mère, accueillir les plus éprouvés de l'époque et parvenir à une réconciliation à l'intérieur d'elle-même, m'ont marqué pour l'existence entière.

Puis-je redire que ma grand-mère maternelle a découvert intuitivement comme une

Du pape Benoît XVI, aux représentants des autres Églises chrétiennes à Cologne, le 19 août 2005 : Je souhaite évoquer la mémoire du grand pionnier de l'unité, frère Roger, qui a été arraché à la vie de manière si tragique. Je le connaissais personnellement depuis longtemps et j'avais avec lui une relation de cordiale amitié. Il m'a souvent rendu visite et, comme je l'ai déjà dit à Rome, le jour de sa mort j'ai reçu une lettre de lui qui m'est allée droit au cœur, parce que dans cette lettre il soulignait sa communion avec moi sur la route et il m'annonçait vouloir venir me rendre visite. À présent il nous rend visite de là-haut et il nous parle. Je pense que nous devrions l'écouter, écouter de l'intérieur son œcuménisme vécu spirituellement et nous laisser conduire par son témoignage vers un œcuménisme vraiment intériorisé et spiritualisé…

Mère Angélique Arnauld

clé de la vocation œcuménique et qu'elle m'a ouvert une voie de concrétisation ? Marqué par le témoignage de sa vie, et encore assez jeune, j'ai trouvé à sa suite ma propre identité de chrétien en réconciliant en moi-même la foi de mes origines avec le mystère de la foi catholique, sans rupture de communion avec quiconque.

Des lectures faites en famille exercent aussi une influence sur Roger pendant son adolescence.

Certains après-midi d'été, nous nous réunissions pour lire ensemble des textes à haute voix. Parmi les lectures qui revenaient souvent, il y avait quelques fragments de l'histoire de Port-Royal, écrite par Sainte-Beuve. C'était l'histoire d'une communauté cistercienne de femmes vivant tout près de Paris au XVIIe siècle.

À la mort de la mère abbesse, en 1602, Angélique Arnauld, fille d'un avocat parisien, la remplaça. Selon la coutume de l'époque, son grand-père était intervenu pour qu'elle soit désignée à cette charge malgré son jeune âge. Contre son désir, elle resta au monastère et y vécut plusieurs années dans une grande inquiétude intérieure.

Un jour, raconte Sainte-Beuve, alors que la jeune mère abbesse avait dix-sept ans, un prêtre passa et prononça une méditation pour la communauté. Ce prêtre était connu pour avoir une vie troublée, mais ce jour-là il exprima en des paroles toutes claires l'amour de Dieu, sa bonté inlassable et sans limites. Ces paroles provoquèrent un retournement intérieur chez la jeune Angélique Arnauld : « Dieu me toucha tellement que, dès ce moment, je me trouvai plus heureuse d'être religieuse que je m'étais estimée malheureuse de l'être. »

Alors, revenant aux sources de leur vocation, elle introduisit des transformations profondes dans la vie de la communauté qui devint peu à peu un lieu de rayonnement. La sœur de Blaise Pascal, notamment, entra dans la communauté. Des hommes vinrent aussi près du monastère passer des périodes plus ou moins longues de prière et d'étude, on les appelait les « Messieurs de Port-Royal ».

Pour ma part, j'étais captivé de découvrir ce que quelques femmes, vivant en communauté, avaient pu accomplir. Il y avait un grand if très touffu près de notre maison. Un jour, j'avais peut-être seize ans, je m'arrêtai près de cet arbre et je me dis : « Si ces quelques femmes, répondant à une vocation commune dans la clarté et donnant leur vie à cause du Christ, ont eu un tel rayonnement d'Évangile, quelques hommes, réunis dans une communauté, ne le pourraient-ils pas aussi ? »

parce qu'ils dérangent, ne meurent pas ! Ils restent comme des phares pour indiquer que l'amour des grandes causes mérite qu'on y donne sa vie.

La vie de frère Roger n'est pas terminée. Il existe un héritage riche de sens que le monde et l'Église sauront accueillir. Ainsi, comme au début du christianisme « le sang des martyrs était semence de chrétiens », sa mort continuera à crier la valeur de la prière et de la réflexion comme chemin pour l'unité entre les chrétiens, et à partir d'eux avec ceux des autres religions et les non-croyants.

Merci frère Roger. Nous saurons accueillir ton message charismatique et prophétique.

24

Le départ

*En 1940, à l'âge de 25 ans, Roger décide de quitter la
Suisse, restée neutre dans le conflit armé, et d'aller
habiter en France, le pays de sa mère, alors coupé en
deux. Il porte dans le cœur le désir de créer une vie de
communauté, mais il souhaite l'insérer dans une situation de grande détresse humaine.*

En août 1940, je suis parti de Genève en
bicyclette à la recherche d'une maison. Non
loin de la frontière, j'ai traversé un village qui
s'appelait Frangy. Peut-être un kilomètre
après le village, j'ai vu sur la gauche une
grande maison et une ferme. La propriétaire,
une femme âgée, me montra la maison où
elle vivait, une belle grande maison savoyarde
avec une chapelle. Elle me dit : « Saint François de Sales a célébré la messe dans la
chapelle. » Elle voulait quitter cette maison et
s'installer au centre du village : « Là, j'enten-
drai la messe de mon lit, quand je ne pourrai
plus marcher. » Et elle ajouta : « Si vous ache-

tez la maison, je vous demande seulement un viager, une petite rente. » Le montant du viager était minime. Cette maison m'était donc presque offerte. Cet accueil et cette confiance de la part de cette femme me touchaient beaucoup. Mais j'ai pensé que ce lieu était trop aisé et que la facilité ne me conduirait pas à une créativité. De plus la maison était située trop près de Genève. Je craignais d'être trop près de ceux que je connaissais pour pouvoir trouver mon propre chemin. Et je partis plus loin.

Du Grand Rabbin de Lyon, Richard Wertenschlag :
Je vous adresse l'expression de ma vive sympathie suite à la tragédie qui vous prive du frère Roger, figure rayonnante, artisan de paix et de réconciliation entre tous les hommes. Incarnation de tendresse vis-à-vis de toutes les créatures de Dieu, il est mort de cette violence criminelle qui nous entoure. Puissent ses idéaux humanistes auxquels il était tant attaché, perdurer, grâce à la fidélité de tous ses innombrables disciples. Il aura marqué son siècle et rayonné bien au-delà de son champ d'action.

Chers frères de Taizé, aujourd'hui je pleure avec vous. Lorsque Élie monte au ciel, son disciple Élisée n'arrive pas à imaginer qui va conduire Israël. Et c'est lui qui ramasse le manteau d'Élie. À l'instant présent, nous nous sentons tous comme des orphelins. Comment comprendre la perte de frère Roger ? Qui va nous guider ? Qui va nous orienter ? Nous sommes appelés à faire comme Élisée. Quel paradoxe – à l'instant même où nous nous sentons faibles et seuls, nous devons être prêts à ramasser un bout de son manteau, à continuer ce qu'il nous a légué. Je prie avec vous que nous ayons tous la force, la sagesse, la douceur, la patience et la foi pour être trouvés dignes du nom de disciples de frère Roger. Je voudrais être avec vous en ces jours – sachez que je suis avec vous en prière et en pensée.

Le 20 août, Roger découvre le village de Taizé, dans le sud de la Bourgogne, à quelques kilomètres de l'ancienne abbaye de Cluny, non loin de la ligne de démarcation qui sépare la zone occupée par l'armée allemande et la zone libre placée sous le gouvernement de Vichy. Grâce à un modique prêt, il fait l'acquisition d'une ancienne maison de vignerons et commence dans la plus grande discrétion à accueillir des réfugiés qui fuient la zone occupée. Il appelle sa plus jeune sœur, Geneviève, à venir l'aider.

Apprenant que je vivais à Taizé, des amis de Lyon me demandèrent s'il était possible d'accueillir dans la maison des réfugiés, des juifs notamment. Et la maison devint peu à peu le lieu d'un va-et-vient de réfugiés, parfois saisis par la peur et l'épuisement. Chacun n'indiquait que son prénom et ne disait de son passé que ce qu'il souhaitait dire. Je préparais de la soupe aux orties et des escargots que l'on trouvait à profusion car il y avait autrefois, au pied de la colline, une escargotière. J'allais les ramasser et je les jetais dans l'eau bouillante. Je cultivais le jardin et je trayais une vache et deux chèvres.

Le commencement
de la vie commune

Les parents de Roger, sachant leur fils et leur fille expo-
sés, demandent à un ami de la famille, officier français
à la retraite, de veiller sur eux. En 1942, celui-ci les
avertit qu'ils ont été découverts, et qu'ils doivent cesser
d'accueillir. Vers la fin de l'année, alors que Roger aide
quelqu'un à passer en Suisse, il est prévenu qu'il vaut
mieux ne pas revenir à Taizé. La France est alors
entièrement occupée. Il reste en Suisse pendant deux
ans et y fait la connaissance de ceux qui deviennent ses
trois premiers frères. Ils vivent ensemble dans un petit
appartement non loin de la cathédrale de Genève où ils
prient chaque jour.

Une vie commune, une très belle vie, commença à Genève. L'appartement était toujours plein d'hôtes, comme l'était la chapelle que nous utilisions à la cathédrale. Bientôt la prière du matin se déplaça dans la cathédrale elle-même. Geneviève, ma sœur, tenait l'orgue. Elle se souvient encore de sa propre surprise en voyant le nombre de jeunes qui venaient fidèlement prendre part à la prière avant d'aller au travail.

Le contact avec des jeunes avait commencé depuis plusieurs années. Précédemment, mes parents habitaient à la campagne, et tous les ans je préparais chez eux une rencontre à laquelle j'invitais les étudiants chrétiens que je connaissais par l'université de Lausanne. Il y avait beaucoup de place pour accueillir. Nous étions peut-être une quarantaine. Il y avait déjà dans cette expérience des intuitions qui se sont développées plus tard à Taizé : l'importance de la prière commune, des échanges, des moments de réflexion.

Du pasteur Roland Benz, Modérateur de la Compagnie des pasteurs et des diacres, et de Georges Bolay, Président de l'Église protestante de Genève : Les liens entre notre Église de Genève et la communauté de Taizé remontent loin, puisque dans les dernières années de la guerre, après une première installation à Taizé, c'est dans la maison Tavel, proche de la cathédrale St-Pierre, que les premiers frères se sont retrouvés quotidiennement pour célébrer des offices réguliers. C'est dire si la communauté a eu, dès ses débuts, une influence marquante sur notre Église, sur ses pasteurs et sa jeunesse en particulier. La tristesse qu'engendre la mort de frère Roger est immense. Elle est à la mesure de la reconnaissance que nous éprouvons pour tout ce que lui et ses frères nous ont apporté. La communauté de Taizé, ainsi que l'œuvre de frère Roger, restent comme une lumière dans notre histoire.

Le retour à Taizé

La guerre est proche de sa fin. Les quatre premiers
frères peuvent rentrer à Taizé en 1944.

Le retour à Taizé n'a pas été facile. Nous
étions loin de tout. Certaines communica-
tions n'étaient pas encore rétablies. On se
rendait à Cluny à vélo, ou même à pied quand
les pneus de la bicyclette étaient usés et qu'on
n'avait pas les moyens de les remplacer.

Matériellement les temps étaient durs.
Cependant, nous n'avons jamais manqué de

pain, en tout cas jamais tout à fait ! Un jour où il n'y avait presque plus rien, nous avons pensé faire venir ce qui nous restait d'argent, et ce n'était pas beaucoup. Des chèques nous furent envoyés. Mais, ouvrant l'enveloppe, nous avons découvert qu'ils avaient été remplacés par du papier de journal. Ce soir-là, nous avons su que nos ressources matérielles étaient épuisées. Pourtant nous avons pensé qu'il valait mieux rester sans ressources que de déposer une plainte.

Malgré tout, on survécut et il y avait de la beauté dans cette vie. Nous nous sommes serré la ceinture autant que possible, et nous avons tenu. Dans son désir de garder sa liberté, la communauté refusait les dons, déjà à cette époque.

Rapidement vint la question : « Qui sont maintenant les plus déshérités autour de nous ? » Il se trouvait que deux petits camps de prisonniers de guerre allemands avaient été installés dans les environs. Nous avons fait des démarches pour obtenir l'autorisation de recevoir des prisonniers le dimanche pour un moment de prière et une collation. Beaucoup souffraient de la faim. Avoir connu les deux situations, celle des réfugiés politiques qui fuyaient à la recherche d'un abri et, deux ans plus tard, celle des prisonniers de guerre allemands, est resté une expérience marquante pour les débuts de la communauté.

D'Anne, mère de famille française : Puisse chaque personne présente comme nous à Taizé en ce soir du 16 août, lors de la mort de frère Roger, oser transmettre à quelques personnes autour d'elle comment la paix peut être possible. Je voudrais vous remercier pour cette lumière que vous avez été ce soir-là. Vous avez pour nous tous été messagers de paix. Vous nous avez montré comment la paix est tout simplement et humainement possible si elle prend du souffle en Dieu. Merci aussi d'avoir à ce point cru en nous. Chacun l'a senti et a pu faire la paix en lui. Et ce soir-là, la paix a gagné. Merci à frère Roger. Merci à vous. Merci pour mes enfants.

Choisir d'aimer

Dans les débuts de Taizé, un jour je rentrais à pied d'un village voisin. Sur la route je vis un homme jeune qui portait sur lui une pauvreté visible.

Une question me vint avec force : et toi, seras-tu jamais comme lui ? La pauvreté n'est-elle pas de n'avoir personne sur qui s'appuyer, quand tout vient à manquer ? Seras-tu alors aux côtés de ceux qui sont dans un tel dénuement ? La réponse s'imposait et j'ai choisi.

Depuis, il m'est parfois arrivé de me demander : qui ai-je croisé ce jour-là ? Aujourd'hui je crois le savoir. En cet inconnu, le Christ était le plus présent qui soit. Et c'est lui que, avec mes frères, nous continuons à rencontrer dans le plus abandonné des humains.

Né pauvre parmi les pauvres, le Christ est venu sur la terre pour faire l'humble don de sa vie et il nous invite à le suivre. Quand nous

De Gosia et Marek, Pologne : Si on nous demande qui nous a influencés, toujours nous parlons de la communauté de Taizé. Toute notre vie adulte a été vécue en rapport étroit avec elle. Nous devons la remercier pour notre façon de voir les choses, pour les choix de vie que nous avons faits et même pour la manière dont nous élevons nos enfants. Frère Roger, non pas personnellement, mais par la communauté qu'il a créée, nous a formés à la vie et, avec nous, déjà aussi un peu nos enfants.

allégeons les épreuves des autres, c'est lui, le Christ, que nous rencontrons. Il nous le dit dans son Évangile : « Ce que vous faites aux plus petits de mes frères, c'est à moi que vous le faites. »

Au mouroir de Kolkata
(Calcutta), novembre 1976

Parabole de la communauté

Un oui pour toute la vie

En 1949, les sept premiers frères de la communauté s'engagent pour toute l'existence dans la vie commune, le célibat et dans une grande simplicité de vie.

« Le Seigneur Christ, dans la compassion et dans l'amour qu'il a de toi, t'a choisi pour être dans l'Église un signe de l'amour fraternel. Il t'appelle à réaliser avec tes frères une parabole de la communauté. » (Paroles prononcées lors de l'engagement à vie d'un frère dans la communauté)

Les années que nous avions vécues ensemble, tout ce que nous avions traversé ensemble, nous ont confirmé que nous pouvions prendre le risque de dire un « oui » à Dieu pour la vie toute entière. Nous savions bien que nous ne serions jamais préparés totalement. Nous savions que nous n'avions pas la capacité de tenir par nos propres forces, mais que tout ce que nous n'avions pas en nous-mêmes pour prononcer ce « oui » nous

serait donné, presque au jour le jour. Nous nous disions : « L'Esprit Saint est assez présent pour s'engager avec nous. Tout sera donné au fur et à mesure. »

Quand je m'interroge sur ce que nous attendons de notre vie commune, la réponse qui me vient est celle-ci : une vie où nous soyons capables de prendre des responsabilités pour les autres, une vie très simple à tous égards, dans l'expression de la parole, dans les rencontres, dans l'échange, dans la manière de disposer les demeures, dans l'hospitalité. Une vie qui soit comme un langage simple dans lequel on reconnaisse un signe de l'Évangile.

Nous souhaitons que ce que nous vivons soit accessible. Pour cela il est bon de garder une souplesse qui permet de pouvoir tout au long de la vie nous adapter. Il est vrai qu'avec les années quelque chose peut se figer dans l'être, mais il est aussi possible avec le temps de s'ouvrir davantage, d'être encore plus accessible. Il n'y a pas de plus grand amour que de donner sa vie pour ceux qui nous sont confiés : cette parole d'Évangile est première dans notre vie commune.

Quand nous arrivons à l'église pour la prière commune, nous sommes dans une reconnaissance intérieure : là, l'essentiel est donné. Le soir, après la prière, puis les rencontres avec des jeunes, il y a le retour un peu tardif à la cuisine, vers 22h30, et les frères sont là, ils attendent. Nous avons un dialogue sur la journée. C'est un moment très beau, nous aimons vivre ensemble. À la fin nous nous levons, je demande à un frère quelle prière il souhaite que nous disions, nous prions brièvement, puis je dis bonsoir à chaque frère. Notre vie est emplie de confiance réciproque. Cette vie commune s'est construite entre nous peu à peu et elle se construit encore.

D'Anca, Roumanie : « Esprit Saint, nous te prions pour le peuple de Roumanie et pour les jeunes Roumains tellement aimés à Taizé » : ces mots dits par frère Aloïs le jour des funérailles de frère Roger, je sais qu'ils ne sont pas vides, et qu'ils ne sortent pas d'une bouche hypocrite. Même si je n'ai jamais vraiment vu frère Roger, j'oserais dire que je l'ai connu. Par la manière dont vous vivez, vous les frères, vous parlez continuellement de lui. Vous portez le témoignage de Jésus Christ et de son serviteur, frère Roger. Vous devez maintenant continuer sur ce chemin. Ne jamais regarder en arrière, mais vous jeter en avant, sans vous lasser, pour finalement atteindre la fin, dans les mains de notre Seigneur Jésus Christ.

La simplicité

Dans l'Évangile, une des premières paroles du Christ est celle-ci : « Heureux les cœurs simples ! » Simplifier sa vie permet de partager avec les plus démunis, en vue d'apaiser les peines, là où il y a la maladie, la pauvreté, la faim… Avec nos frères, ceux qui sont à Taizé ou ceux qui, sur d'autres continents, vivent parmi les plus pauvres, nous avons la vive conscience d'être appelés à une vie simple. Nous avons découvert qu'elle n'empêchait pas d'exercer tous les jours une hospitalité. Autour de la table, l'abondance des biens retient plus qu'elle n'épanouit l'hospitalité.

Notre vocation de communauté nous a engagés à vivre de notre seul travail, n'acceptant ni dons, ni héritages, ni cadeaux, rien, absolument rien. L'esprit de pauvreté ne consiste pas à faire misérable, mais à tout disposer avec imagination, dans la beauté simple de la création. L'esprit de simplicité ne transparaît-il pas dans la joie sereine et même dans la gaieté ?

Un cœur simple cherche à vivre le moment présent, à accueillir chaque jour comme un aujourd'hui de Dieu. La simplicité vidée de la brûlante charité : ombre sans clarté. Si une grande simplicité de vie s'emplissait d'amertume et se chargeait de jugements, où serait l'allégresse de l'aujourd'hui ?

Du Cardinal Carlo Maria Martini : Je désire exprimer à la communauté de Taizé combien je participe à sa douleur pour la mort, dans des circonstances tragiques, du très cher frère Roger. Tant de souvenirs remontent à ma mémoire. Les rencontres avec lui à Taizé, quand nous le voyions plongé dans la prière ou quand nous écoutions sa parole, qui toujours invitait à la réconciliation et à la paix. Je me souviens en particulier d'une visite à la communauté, où il nous avait servi le repas en signe d'hospitalité et de fraternité.

D'Annie et Chris, États-Unis : Frère Roger vivait tellement de l'Esprit Saint que son langage avait « la fraîcheur de l'Évangile », ses paroles étaient si sobres, si justes, si simples et si fécondes. Elles peuvent nous habiter comme les phrases de l'Évangile car ce qu'il disait venait de Dieu. Frère Roger a éclairé toute notre jeunesse et nous a aidés à mieux comprendre Jésus, et à aimer son Église.

L'accueil des enfants

Pour frère Roger, la création de la communauté et l'accueil de ceux qui sont dans le besoin vont de pair. Après les réfugiés politiques fuyant la guerre, puis les prisonniers allemands, il se demande : et maintenant, qui accueillir ?

En 1945, à la fin de la guerre, la question se posait : qui est-ce qui, aujourd'hui, traverse une épreuve ? Ce sont certains enfants. Un jeune homme de la région mit sur pied une association pour prendre en charge des enfants que la guerre avait privés de famille. Il nous proposa d'en accueillir un certain nombre à Taizé. Une communauté d'hommes ne pouvait pas recevoir des enfants. Alors j'ai demandé à ma sœur Geneviève de revenir pour une période : ces enfants avaient besoin d'une mère. Artiste de tout son être, elle avait préparé l'examen de « virtuosité » de piano. Pourtant elle n'hésita pas à répondre positivement. Et peu à peu elle découvrit qu'elle ne pourrait jamais quitter ces enfants, qu'elle devait leur consacrer sa vie. Au début ils étaient trois ; les mois passant, ils ne tardèrent pas à être une vingtaine. Elle s'installa avec eux dans une vieille maison du village.

Parmi ces garçons, il y avait cinq Géorgiens dont le père avait dû fuir son pays. Arrivés en France, ils avaient été placés ensemble dans un camp de réfugiés. Le père était tombé gravement malade. Orthodoxe, il avait admirablement préparé à sa mort ses deux fils aînés. Les cinq garçons furent accueillis à Taizé par ma sœur.

Ces vingt enfants ont grandi, ont construit leur vie. Tous se sont mariés. Ma sœur continue aujourd'hui à les recevoir dans la vieille maison, avec leurs propres enfants et leurs petits-enfants. Plus tard, elle accueillit aussi Marie, petite fille de cinq mois, que Mère Teresa m'avait confiée à Calcutta pour la faire soigner, et qui grandit auprès d'elle.

C'était toujours le même appel intérieur : nous voulions vivre la réconciliation des chrétiens, cette réalité d'Évangile essentielle, mais il importait de la vivre en étant tout

De Gwenaëlle, France :
J'étais petite quand j'ai rencontré frère Roger, et je me rappelle qu'il s'adressait à nous, les enfants, comme à des personnes de grande importance. À présent, je souhaite simplement rendre hommage à son œuvre de paix et de réconciliation.

Quelques-uns des enfants accueillis à Taizé par Geneviève, sœur de frère Roger

De Zoran et Goran Zubak, Ivan et Marko Zubak, Ivan, Goran et Mario Jurakić :
Le cœur lourd, nous vous écrivons de Croatie. En 1993, 1994, 1995, 1996 et 1997, nous étions encore enfants et nous avons été accueillis pour des séjours à Taizé par les frères de la communauté. Nous n'en avons rapporté chez nous que de bonnes expériences. Nous n'oublierons jamais ces années-là, et nous porterons frère Roger toujours dans nos cœurs. Nous croyons que nous nous reverrons un jour, là où il n'y a pas de place pour la haine ni pour aucun mal.

De Meret, Suisse : Je m'appelle Meret et j'ai 10 ans et demi. J'ai passé l'automne dernier cinq jours à Taizé pendant les vacances. Ma famille et moi sommes venus à l'église chaque soir. J'étais si enthousiaste de frère Roger, parce qu'il rayonnait tellement. D'amour ! Mais maintenant, quand j'ai appris qu'on lui avait enlevé la vie d'une manière si brutale, j'étais très triste.

Avec des enfants de Bosnie et du Rwanda

proches de situations difficiles de la famille humaine. Sinon nous aurions eu l'impression de nous replier sur nous-mêmes.

Beaucoup plus tard, de 1993 à 1997, pendant la guerre qui ravage la Bosnie, la communauté accueille chaque été des enfants de ce pays.

Dès que nous avons su les graves difficultés que traversait la Bosnie, nous nous sommes dit qu'il était essentiel de recevoir des enfants de ce pays. C'est le même mouvement intérieur qui revient constamment en nous. Depuis le premier jour, nous avons cette certitude que nous ne pouvons pas poursuivre un chemin vers le Christ sans être avec les pauvres. Plus on veut aller loin dans une vie de communion à Dieu, plus on est attentif à ceux qui connaissent des épreuves.

Ces enfants de Bosnie sont très différents les uns des autres et pourtant ils ont quelque chose de commun dans le regard : un regard qui cherche une compréhension, un regard marqué par la peur de la violence, des bombes, de la guerre. À l'église ils sont très silencieux, attentifs à la présence invisible de Dieu. Peut-être ne pourraient-ils pas le dire ainsi, mais c'est ce que nous éprouvons en les voyant. Dans la famille humaine, y aura-t-il donc toujours l'innocence blessée de l'enfance ?

Avec les familles
vietnamiennes
accueillies à Taizé

L'accueil des démunis

Au long des années frère Roger se pose sans cesse cette question : « Qui sont maintenant les plus démunis ? » Les frères font restaurer de vieilles maisons du village pour y installer des familles traversant des situations difficiles, des émigrés espagnols, portugais, puis des familles victimes des différents conflits meurtriers de la fin du XXe siècle : deux veuves vietnamiennes, avec de nombreux enfants, que frère Roger a rencontrées dans un camp de réfugiés en Thaïlande, une famille du Rwanda dont la mère a été tuée pendant le génocide, une famille de Sarajevo qui a connu la guerre de Bosnie…

Dans les années 1950, nous n'étions encore qu'une dizaine de frères. Nous nous sommes dit : nous habitons en pleine campagne alors que dans les villes il y a le chômage, une vie pauvre… Que pouvons-nous ? Y aller à deux pour partager les conditions d'existence des ouvriers. Montceau-les-Mines était une des villes les plus

De Claudio Vereza, paralytique brésilien de Vitória, où des frères de Taizé ont vécu de 1972 à 1978 : J'ai un sentiment à la fois d'horreur et de louange à Dieu pour le saint frère Roger qui maintenant est dans la gloire du Père. Horreur comme tous ceux qui cherchent la justice, la vérité et la vie entre les humains. Louange pour la vie du saint martyr de l'œcuménisme, lui qui a passé par la guerre mondiale en vivant la miséricorde entre frères, lui qui a construit la plus grande expérience œcuménique de tous les temps entre les jeunes du monde entier, lui qui comme personne a vécu l'inespéré, même dans la mort, lui qui a vécu pleinement la contemplation incarnée avec et pour les pauvres de Dieu, de tous les peuples de la terre.

proches. Deux frères s'y sont établis. C'était délicat, mais une sympathie les a rapidement entourés.

Et voilà qu'un soir l'un des deux frères arrive à Taizé avec sur le siège arrière de sa motocyclette un responsable ouvrier. Ce dernier m'explique qu'à Montceau-les-Mines une famille émigrée du sud de l'Espagne va être expulsée. Il me demande d'aller le lendemain matin voir le préfet. J'y suis allé et j'ai expliqué la situation au préfet en ajoutant : « Si vous les laissez rester en France, nous les accueillons à Taizé dès aujourd'hui. » Il a donné son accord. Nous sommes allés les chercher pour les amener sur notre colline. Leur arrivée a été comme un jour de fête ! Nous souhaitions avoir des pauvres avec nous. Il y avait le père, la mère, trois filles, et ensuite naquirent encore deux fils.

L'accueil des jeunes

Quand il était encore étudiant, déjà frère Roger réunissait des jeunes pour des rencontres. Alors il va de soi que, dès ses débuts, la communauté naissante accueille des jeunes. Ils viennent d'abord à quelques-uns, surtout pour des jours de silence et de retraite. Leur nombre commence à grandir en 1958-1960. Le concile du Vatican, de 1962 à 1965, amène un nouveau souffle dans l'Église et des jeunes plus nombreux se dirigent vers Taizé. La première rencontre plus importante a lieu en 1966. Frère Roger annonce en 1970 un « concile des jeunes » qui s'ouvre en 1974 et qui est bientôt remplacé par un « pèlerinage de confiance sur la terre ». Les jeunes vien-nent désormais par milliers à Taizé. Leur nombre double dès 1990, à cause de l'ouverture des frontières de l'Europe de l'Est. Entre-temps, des rencontres ont commencé aussi à être organisées en

dehors de Taizé, notamment une rencontre européenne chaque année dans une des capitales du continent.

Les jeunes ont commencé à venir plus nombreux dans les années 1958-1960. Nous n'avons rien fait pour les attirer. C'était un étonnement : comment est-ce possible que les jeunes viennent dans une période où ils ne vont plus tellement participer à la prière dans les églises ? Nous ne pouvions pas les renvoyer, ils venaient pour prier, pour chercher. Mais nous n'avions pas de place pour les accueillir. Une idée nous est venue : à quatre kilomètres de Taizé il y a une vieille chapelle, on va construire des bâtiments légers, des dortoirs, où ils pourront vivre et venir trois fois par jour prier avec nous. C'est ce que nous avons fait. Mais ils devaient souvent franchir cette distance à pied parce qu'à l'époque il n'y avait pas beaucoup de voitures. Alors nous nous sommes dit : « Où est l'hospitalité selon l'Évangile, si nous les laissons si loin ? C'est important qu'ils viennent ici-même, à Taizé. » Un de nos frères, Pierre, qui était très robuste, a construit un premier bâtiment qui s'est appelé El Abiodh. Et nous avons acheté aussi de grandes tentes. Au début, nous allions prier dans la petite église romane du village. Mais avec le temps elle devenait souvent si pleine qu'il fallait tenir les portes ouvertes. Au début des années 1960, nous avons dû consentir à un lieu plus grand. Et ce fut la construction, par des jeunes Allemands, de l'église de la Réconciliation. D'abord, j'ai pensé qu'elle était trop grande. Pourtant, au bout de quelques années, il n'y avait déjà plus assez de place. Il a fallu démolir la façade ouest pour y adjoindre des chapiteaux, plus tard des narthex légèrement construits.

Voyant sur notre colline tant de visages de jeunes, non seulement de l'Europe occidentale et orientale, mais aussi, de plus en plus, des autres continents, nous comprenons qu'ils viennent avec des questions vitales, en particulier celle-ci : où trouver un sens à ma vie ? Certains se demandent : quel est l'appel de Dieu pour moi ?

Avec ceux que nous accueillons soit à Taizé même, soit dans nos petites fraternités de quelques frères vivant au milieu des plus pauvres en diverses parties du monde, soit encore lors de rencontres dans de grandes villes, nous voudrions chercher comment reprendre élan, et comment vivre le Christ pour les autres.

Nous souhaitons être pour eux des hommes d'écoute, et non des maîtres spirituels. Les écouter pour qu'ils puissent non seulement exprimer leurs limites, leurs blessures, mais aussi découvrir leurs dons, et

« Ce qui m'a profondément marquée, c'est qu'en allant plus tard pour la première fois à Taizé, on n'était plus obligé de se cacher. On pouvait prier, parler de Dieu au grand jour. »

Mylène, présente aux obsèques de frère Roger : « On aurait pu penser qu'en pareil jour, les frères seraient occupés à autre chose. Eh bien non, l'accueil a continué. Nous avons été accueillis avec du thé et du pain d'épice. Nous sentions que nous étions les bienvenus ; que ce temps n'était pas "réservé". L'accueil toujours et encore. Les frères étaient disponibles pour tous et chacun… Taizé continue. »

De Joan, jeune orthodoxe d'Albanie : Par la mort de frère Roger, j'ai perdu quelqu'un qui était un père sans beaucoup de paroles, mais un père m'entourant de paix et d'amour. Il m'aimait et me l'a montré à chaque rencontre. Sa présence était l'une des plus grandes bénédictions que j'aie pu recevoir. Toutes ces dernières années, quand on aurait pu penser qu'il n'était plus si actif, c'est alors qu'il l'était le plus. Sa simple présence m'a énormément aidé. Il a été pour moi l'un des vivants exemples de l'incarnation du Christ, de l'incarnation de l'amour et de la paix. Je suis si reconnaissant de voir que depuis son plus jeune âge il a cherché à se conformer au Christ. Il vient de finir sa course, et il est maintenant avec ses bien-aimés. Il m'a aimé sur la terre et il continuera au ciel. Il n'était rien d'autre que l'amour.

De Benjamin : Taizé est le seul lieu où j'ai été reçu tel que je suis. On peut y aller tel que l'on est… avec son côté bancal… J'ai compris que même avec ce côté bancal, le Christ me parlait.

surtout pressentir une vie de communion avec Dieu, avec le Christ, avec l'Esprit Saint.

À Taizé, certaines soirées d'été, sous un ciel chargé d'étoiles, nous entendons les jeunes par nos fenêtres ouvertes. Nous demeurons étonnés qu'ils viennent si nombreux. Ils cherchent, ils prient. Et nous nous disons : leurs aspirations à la paix et à la confiance sont comme ces étoiles, petites lumières dans la nuit.

Aussi, pour ma part, j'irais jusqu'au bout du monde, si je le pouvais, pour dire et redire ma confiance dans les jeunes générations.

À Taizé, nous voudrions que les jeunes trouvent une paix du cœur. Dieu ne demande pas que nous accomplissions des prodiges pour le rejoindre dans la prière. Non ! Dieu sait qui nous sommes, pauvres et limités. Mais ceux qui viennent ici découvrent que, dans la simplicité, tout va être rendu possible. La paix de notre cœur a une résonance non seulement en nous-mêmes mais chez les autres aussi. La paix de notre cœur rend la vie belle à ceux qui nous entourent. La paix du cœur paraît parfois peu accessible parce qu'il y a l'épreuve, les secousses, tout ce qui vient nous ébranler. Si tous nous pouvions apprendre que pourtant elle est toute proche, elle est toujours donnée.

La vie intérieure

La prière

Même quand frère Roger est encore seul à Taizé, déjà il prie trois fois par jour dans une petite chapelle qu'il a aménagée dans la maison. Ce rythme reste celui de la communauté jusqu'à aujourd'hui. À ses yeux, la prière commune, et surtout la beauté du chant, sont indispensables pour soutenir la prière personnelle.

Souvent des jeunes me disent : « Je ne sais pas prier. » Je voudrais répondre à chacun : « S'il y a en toi l'humble désir d'aimer Dieu, que cela te suffise, car le simple désir de Dieu est déjà le commencement de la foi, le commencement d'une vie de communion avec Dieu. Il t'arrivera peut-être d'éprouver comme le sentiment d'une présence, mais si ce sentiment-là ne vient pas, ne t'inquiète pas. Il y a aussi des moments dans l'existence où s'efface la conscience de la présence de Dieu ; pourtant il est là, même quand rien ne le laisse pressentir. La présence de Dieu, du Christ, de

Extrait d'un article de João Miguel Tavares, Portugal, dans le Diario de Noticias :
Taizé est le lieu qui fait que le chant devient prière. C'est l'un des rares lieux dans le monde où croire en Dieu semble évident. Le secret de l'accueil de tant de personnes du monde entier est dans un message chrétien ramené à l'essentiel, et donc capable de rassembler indistinctement des catholiques, des protestants, des orthodoxes. Taizé est la projection dans l'espace des qualités personnelles de frère Roger : œcuménique, simple, accessible, accueillant.

Du Père Sébastien, St-Martin de Ré, France : Taizé, dans ma vocation de prêtre, fut le lieu de mon premier silence… ce fut ma rencontre de Dieu dans ce murmure de silence si doux, si serein, si calme… Nous savons qu'auprès du Père, frère Roger continue de nous aimer, et continue à parler de nous au Seigneur. Aujourd'hui mes larmes coulent, elles sont les mots que je ne sais pas écrire. En tout la paix du cœur, la joie sereine.

l'Esprit Saint est continuelle, elle est toujours offerte. »

Le doute est une réalité pénible bien sûr, mais il peut coexister avec la foi. En présence de Jésus, un homme dit : « Je crois, Seigneur, j'ai confiance en toi. » Mais il ajoute aussitôt : « Viens au secours de mon incrédulité ! » Il y a en nous tous des trous d'incrédulité. Ils n'ont rien de redoutable. Ils nous stimulent. Ils ne nous empêchent pas de demander à Dieu avec confiance : « Qu'attends-tu de moi ? »

Dans la prière, nous avons besoin de présenter à l'Esprit Saint ce qui nous travaille et assaille parfois notre cœur. L'inquiétude habite souvent le cœur humain, on a de l'inquiétude pour soi-même, pour les autres, pour ceux qui souffrent. Alors il est donné dans la prière de tout abandonner à Dieu, dans une communion avec lui qui nous rapproche de l'invisible.

Ce chemin d'abandon peut être soutenu par des chants simples, repris et encore repris. Quand nous travaillons, quand nous nous reposons, ces chants se poursuivent au-dedans du cœur.

La prière n'éloigne pas des préoccupations du monde. Au contraire, rien n'est plus responsable que de prier. Plus on vit une prière toute humble, plus on est conduit à aimer à le dire par sa vie.

L'écoute

Frère Roger dit souvent que les frères ne sont pas des maîtres spirituels, ils ne sont pas appelés à donner des conseils, mais à être avant tout des hommes de prière et d'écoute.

Il y a une grande beauté dans la vocation à écouter l'autre. Pour ma part, je l'ai découverte peut-être parce que, moi-même, dans ma jeunesse, j'aurais eu besoin d'être écouté, mais j'ai ressenti plutôt l'absence d'écoute.

Quand j'étais jeune, la tuberculose pulmonaire m'a astreint à de longues périodes de repos pendant lesquelles j'ai beaucoup lu, beaucoup cherché seul. J'ai cru à un moment donné que la mort venait, j'ai alors cherché avec plus d'intensité encore. Et je me disais : si la vie m'est laissée, je ferai tout pour comprendre les autres, j'écouterai ce qui est sous le cœur de l'autre. Cette décision intérieure, je l'ai prise tout seul.

Aujourd'hui, en écoutant des jeunes, je

découvre qu'il y a chez certains d'entre eux l'impression d'être un peu écartelés. Pourquoi ? Parce que leur cœur se déchire parfois : ils voudraient être aimés pour eux-mêmes, pour ce qu'ils sont, et bien souvent ils ont le sentiment que ceux qui les aiment sont comme dans un ailleurs. Alors je voudrais dire à ces jeunes : « Notre pire ennemi, c'est le découragement. Il peut conduire à la question : à quoi bon exister ? La question est là mais cherche encore ! N'oublie pas que les résistances à ce que tu vis peuvent parfois permettre la créativité. »

Avec mes frères, une question nous habite : les jeunes que nous accueillons connaissent-ils assez toutes leurs ressources intérieures pour être des créateurs de confiance et de paix sur la terre ? Pour nous, le plus important est de les écouter avec confiance. C'est comme une maïeutique pour que, par une naissance intérieure, ils découvrent les dons qu'ils ont en eux-mêmes, et qu'ils les laissent se développer en une maturation croissante.

Beaucoup de femmes et d'hommes apprennent en vieillissant à être proches de ceux qui leur sont confiés, à les écouter et par là à les décharger d'un poids qui repose sur leurs épaules. Ils sont sans sévérité, sans jugement. En eux l'emportent la foi, l'espérance et la charité. Tant d'humbles croyants font l'impossible pour ouvrir aux autres un chemin de paix, de sérénité, de joie intérieure. Des mères et des pères spirituels selon l'Évangile, il en est donné au centuple.

De Matthieu, un jeune français : Je ne connaissais certainement pas mieux frère Roger que les autres jeunes qui ont passé par Taizé, cependant l'annonce de sa disparition m'a profondément affecté. Je lui dois énormément. C'est il y a trois ans, alors que j'étais âgé de 15 ans, que j'ai eu la chance d'aller à Taizé pour la première fois. J'y suis retourné deux fois. Lors de ces trois séjours, grâce aux chants, à l'ambiance calme, paisible, j'ai découvert Dieu, l'amour qu'il nous porte, sa capacité à nous pardonner inlassablement : finalement, j'ai appris à vivre en paix avec moi-même et avec Dieu. Sans Taizé, je ne sais pas si j'aurais rencontré ce Dieu d'amour qui compte tant pour moi aujourd'hui. Je voudrais rendre grâce à Dieu pour frère Roger. Malgré la brutalité de sa mort, je trouve une consolation dans ma conviction que là-haut, une place lui est préparée à la mesure de tout le bien qu'il a pu faire.

Esprit saint, si souvent nous aimerions savoir
comment prier ; mais tu viens au secours de notre peu
de capacité.

Même quand, dans notre prière, il y a
une pauvreté et un dépouillement,
donne-nous de consentir à être des pauvres du Christ.

Si, certains jours nous avons l'impression
de prier avec presque rien, nous voudrions
surtout vivre de la si belle confiance en Dieu.

Jésus notre espérance.
fais de nous des humbles de l'Évangile.
— nous voudrions tellement comprendre
qu'en nous le meilleur se construit
à travers une confiance toute simple.
..... et même un enfant y parvient.

Cette unique communion qu'est l'Église

La réconciliation des chrétiens

Pourquoi une réconciliation des chrétiens est-elle si essentielle ? C'est qu'elle nous donnera d'être conséquents avec le Dieu d'amour, d'être vrais avec l'Évangile. Comment professer l'amour du prochain et demeurer divisés ? Ma grand-mère, qui m'a tant marqué, voyait la réconciliation des chrétiens en fonction de la famille humaine : toute l'humanité pourrait être enrichie par une réconciliation s'accomplissant dans cette unique communion qu'est l'Église. Si l'on construit une communion, alors la confiance grandit. La réconciliation des chrétiens peut être un ferment de paix pour tous, croyants ou non-croyants.

Dieu ne veut pas faire de nous des victimes des séparations anciennes ou nouvelles entre chrétiens. Le souvenir de ces séparations a été entretenu pendant des siècles.

De Rowan Williams, archevêque anglican de Canterbury : Il y a très peu de gens dans chaque génération qui arrivent à transformer de fond en comble le climat d'une culture religieuse ; mais voilà précisément ce qu'a fait frère Roger. Il a changé le cadre de référence pour l'œcuménisme en lançant à des chrétiens d'appartenances diverses le défi de vivre ensemble la vie monastique ; il a changé l'image du christianisme lui-même pour d'innombrables jeunes ; il a changé la perception qu'avaient les Églises de la réconciliation, devenue priorité absolue, d'abord dans l'Europe de l'après-guerre, puis à travers le monde. Et ce qui est peut-être le plus important est la manière dont il a fait tout cela sans occuper une position d'autorité hiérarchique, sans aucune position à l'intérieur des jeux politiques et des luttes des institutions. Son autorité fut véritablement monastique, l'autorité d'un père et d'un frère aîné en Dieu qui tire sa vision d'une attente patiente de Dieu dans la prière, du travail, des études, du discernement d'une communauté engagée. Nous prions pour que la communauté de Taizé, tellement aimée et estimée dans le monde chrétien tout entier, et bien au-delà, continue de nous faire ce même don dans les années à venir.

Cultiver la mémoire d'événements qui ont séparé des croyants maintient une blessure profonde. Elle a besoin de guérison.

Il est des chrétiens qui, sans tarder, vivent déjà en réconciliés là où ils se trouvent, tout humblement, tout simplement.

À travers leur propre vie, ils voudraient rendre le Christ présent pour beaucoup d'autres. Ils savent que l'Église n'existe pas pour elle-même mais pour le monde, pour y déposer un ferment de paix.

« Communion » est un des plus beaux noms de l'Église : en elle, il ne peut pas y avoir de sévérités réciproques, mais seulement la limpidité, la bonté du cœur, la compassion…

Concrétiser la réconciliation

Tout au long des années, frère Roger le redit souvent :
c'est par leur vie que les chrétiens peuvent rendre
crédibles leurs paroles.

Échanges lors d'une
rencontre œcuménique,
Taizé, 1963

De Geneviève Jacques, Secrétaire générale par intérim du Conseil œcuménique des Églises : La vision de paix et de réconciliation dans « l'aujourd'hui de Dieu » qui a guidé son engagement et celui de la communauté qu'il a fondée a été une source d'inspiration et de renouveau spirituel pour des générations de jeunes, en Europe et à travers le monde, à la recherche d'une spiritualité qui fasse sens pour notre monde en pleine transformation. Sa recherche incessante d'un dialogue œcuménique authentique entre les croyants, dépassant les barrières institutionnelles, a reçu un écho vibrant chez les jeunes en particulier. Sous sa direction spirituelle, la communauté de Taizé a su offrir un modèle d'intégration de la louange de Dieu et d'une solidarité avec les plus démunis. Frère Roger a incarné pour beaucoup d'entre nous l'espoir que la foi chrétienne peut apporter au monde.

Dans ma jeunesse, j'étais étonné de voir des chrétiens, qui pourtant vivent d'un Dieu d'amour, utiliser tant d'énergies à justifier leurs séparations.

Alors je me suis dit qu'il était essentiel de créer une communauté, avec un petit nombre d'hommes mais des hommes décidés à donner toute leur vie. Une communauté où l'on cherche à se comprendre et à se réconcilier toujours, où la bonté du cœur et la simplicité soient au centre de tout. Accomplir ensemble cette démarche quotidienne bien concrète qui est de se réconcilier tous les jours et par là de rendre visible une petite « parabole de communion ». Concrétiser dans la vie quotidienne la réconciliation. La concrétiser sans retard.

Jésus notre espérance, ton Évangile
nous donne à comprendre cette bonne nouvelle :
personne, oui personne n'est exclu
ni de ton amour, ni de ton pardon.

Jésus notre espérance, sans avoir encore
la claire vision, et même dans l'obscurité,
tu nous donnes d'avancer par la foi.
Et, sans t'avoir vu, nous t'aimons.

Dieu de toute miséricorde, tu aimes
et tu cherches chacun de nous avant même
que nous t'ayons aimé.
Aussi y-a-t-il un vif étonnement à découvrir
que tu regardes tout être humain avec une infinie
tendresse et une profonde compassion.

Des rencontres marquantes

Jean XXIII

*En 1949, au lendemain de l'engagement pour la vie
des sept premiers frères, le cardinal Gerlier, archevêque
de Lyon, propose à frère Roger de se rendre à Rome
pour rencontrer le pape Pie XII et lui parler de la
recherche de réconciliation. En 1958, le même cardinal introduit frère Roger auprès de Jean XXIII. La
rencontre avec le « bon pape Jean » marque un tournant dans l'histoire de Taizé.*

L'accueil exceptionnel que nous réserva le
pape Jean XXIII en 1958, son ouverture à la
vocation œcuménique, l'invitation qu'il nous
adressa à participer au concile Vatican II
marquèrent pour nous un tournant. Chez
beaucoup s'éveilla un intérêt pour la
recherche que poursuivait notre petite
communauté. Des jeunes de divers pays
vinrent toujours plus nombreux passer quelques jours sur notre colline.

Dès notre première rencontre, nous avons
eu la certitude d'être aimés, compris.

Avec Jean XXIII et le
cardinal Bea,
Rome, octobre 1962

*De Mgr Loris Capovilla,
ancien secrétaire particulier de
Jean XXIII :* J'étais présent
quand le Pape Jean est mort et
je puis attester que j'ai vu
mourir un enfant de 81 ans, il
avait les yeux limpides et un
sourire de bonté sur les lèvres :
deux yeux et un sourire. Frère

Jean XXIII imprima sur nous une marque
indélébile. Il nous permit de sortir de la soli-
tude dans laquelle nous étions. Par lui un
printemps entra dans notre communauté. Ce
fut pour nous comme un nouveau départ.

Jean XXIII demeure l'homme que j'ai
peut-être le plus vénéré sur la terre. Je l'ai
aimé comme un père. Sans s'en rendre
compte, il a pour nous levé le voile sur une
part du mystère de l'Église. Il avait la passion
de la communion. Nous avons saisi à travers
sa vie ce que signifiait le ministère d'un
pasteur universel.

À propos de notre place dans l'Église, Jean

XXIII avait le désir que nous soyons dans la sérénité, sans nous mettre en souci. Lors de notre dernière rencontre, peu avant sa mort, il affirma, faisant de ses mains des gestes circulaires : « L'Église catholique est faite de cercles concentriques toujours plus grands, toujours plus grands. » Dans quel cercle nous voyait-il, il ne l'a pas précisé. Mais nous comprenions que, pour lui, nous étions à l'intérieur de ces cercles, et que l'essentiel était déjà accompli. Ses paroles nous ont comme insérés dans la réalité de l'Église. Dans la situation où se trouvait notre communauté, le pape voulait nous dire : continuez sur le chemin où vous êtes.

Roger a été pour lui comme le jeune Nathanaël conduit à Jésus par Philippe : Jésus vit le fond de son cœur, il l'aima d'un amour de prédilection et s'exclama : « Voici un jeune homme au cœur pur. » Comme le Pape Jean, Roger s'est présenté au monde avec les attributs d'un enfant : deux yeux et un sourire. Ce n'est pas pour rien que le Pape Jean, dès la première rencontre qui eut lieu le 7 novembre 1958, onze jours après son élection à la papauté, accueillit frère Roger à bras ouvert. Et comme celui-ci lui demandait : « Saint Père, comment se fait-il que vous ayez confiance en nous ? », le Pape lui répondit : « Vous avez des yeux innocents. »

Homme et chrétien, appelé comme les patriarches d'autrefois à parcourir les vastes chemins du monde avec la lampe de l'espérance ; estimé et aimé des derniers papes, suivi par des foules de jeunes qui lisaient dans ses yeux la splendeur de l'Éternel, frère Roger s'en est allé comme Gandhi, pendant qu'il priait avec les jeunes. Avec son sang il a consacré l'édifice sacré et a témoigné le pardon et l'amour. Maintenant nous sommes tous plus pauvres et en même temps plus déterminés à cultiver les semences de sainteté et de fraternité déposées par lui dans les sillons de l'histoire.

Jean-Paul II

Après Jean XXIII, frère Roger a été reçu chaque année
en audience privée par les papes Paul VI et
Jean-Paul II.

C'est en 1962, au concile du Vatican, que j'ai connu celui qui, seize ans plus tard, allait devenir le pape Jean-Paul II.

Jean-Paul II me recevait chaque année et il m'arrivait alors de penser aux épreuves de sa vie : dans son enfance, il avait perdu sa mère, dans sa jeunesse son père et son unique frère. Et je me disais : cherche une parole pour réjouir, et même consoler son cœur, en lui parlant d'une espérance que nous découvrions chez des jeunes, en l'assurant de la confiance que notre communauté lui portait.

Consumé par le feu de l'amour de l'Église et de la famille humaine, Jean-Paul II faisait tout pour communiquer cette flamme. Il donna un souffle à l'esprit de communion, entre autres en allant dans la plupart des pays

Du cardinal Henryk Gulbino-wicz, de Wroclaw, Pologne :
Frère Roger reste dans ma mémoire comme un homme de réconciliation et d'une grande confiance, un homme qui avait la passion de l'Église. J'éprouve un profond respect et une grande admiration pour lui et pour toute la communauté, pour l'amour extraordinaire et pour la confiance que vous offrez aux jeunes de tous les pays et continents, en voyant en eux un ferment de réconciliation et un bon futur de l'Église. J'ai toujours été touché de voir combien l'Église de Pologne, avec sa forte tradition, était appréciée par notre très regretté frère Roger. Grâce à vous, beaucoup de Polonais venant sur la colline de Taizé ont pu redécouvrir la valeur de leurs communautés paroissiales.

du monde rencontrer les humains, parfois les interpeller, souvent exprimer la compassion de Dieu. Ses plus de cent voyages demeurent la claire expression d'une âme tellement attentive à préparer un avenir de paix.

Le pape Jean-Paul II à Taizé, 5 octobre 1986

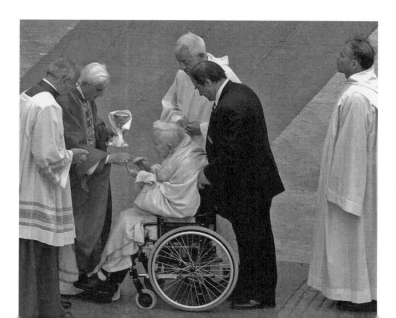

Funérailles de Jean-Paul II, Rome, 8 avril 2005

Le patriarche Athénagoras

Dès son plus jeune âge, à travers la découverte de réfugiés russes, frère Roger éprouve une sympathie pour les chrétiens orthodoxes. La rencontre avec le patriarche Athénagoras, de Constantinople, le marque profondément.

À la même époque que Jean XXIII, il y avait à Istanbul un homme de la même veine prophétique, le patriarche orthodoxe Athénagoras.

Ce qui soulevait l'espérance, c'était de comprendre que cet homme de 86 ans, pauvre de moyens, soumis à une situation politique complexe, rayonnait au près et au loin. Il avait la grandeur de la générosité.

Les épreuves ne l'avaient pas épargné. Il avait saisi les mutations nécessaires dans le peuple de Dieu, mais la situation autour de lui était telle qu'il devait garder en lui-même

L'archevêque anglican de Canterbury, Michael Ramsay,
à Taizé, septembre 1973

le meilleur de ses intuitions. Malgré tout, il demeurait empli d'espérance. « Lorsque le soir je rentre dans ma chambre, nous disait-il, je laisse mes soucis derrière la porte et je dis : on verra demain ! »

Jusqu'à mon heure dernière, je reverrai le patriarche au moment de notre départ. Il se tenait dans l'embrasure de la porte, il éleva les mains comme s'il présentait le calice de l'eucharistie et répéta encore une fois, parlant de la réconciliation des chrétiens : « La coupe et la fraction du pain, il n'y a pas d'autre chemin ; rappelez-vous… »

De Stephanos, métropolite orthodoxe de Tallinn et de toute l'Estonie : En mission en Estonie, après les années terribles du communisme, j'ai bien compris ce que frère Roger entendait par la « dynamique du provisoire », qui laisse toute la place à Dieu et à Dieu seul. Je lui suis à jamais reconnaissant pour cela. Il s'appelait Roger et son nom, partout où il était prononcé, chantait la tendresse et la fraîcheur consolatrices de Dieu pour tous ceux qui étaient dans la peine et la souffrance. Merci, frère Roger pour ta bonté évangélique ; merci à toi, authentique homme apostolique de ton Seigneur et Maître le Christ.

Avec le patriarche
Athénagoras, Constantinople,
février 1962

Johannes Hempel

*Lors d'une visite en Allemagne de l'Est,
alors fermée par une frontière difficilement
franchissable, frère Roger découvre l'évêque
luthérien Hempel, qui ne tarde pas à devenir
un ami cher à son cœur.*

Un proche parmi les proches était
l'évêque luthérien de Dresde, Johannes
Hempel. À partir de 1974, il essayait de
m'inviter dans sa ville pour une rencontre de
jeunes mais n'en obtenait pas la permission.
Après bien des tentatives infructueuses, à
grand-peine il reçut en 1980 un accord incer-
tain des autorités. Plusieurs de mes frères
allèrent discrètement à l'avance à Dresde
pour soutenir la préparation de la rencontre.
Avec quelques autres, j'arrivai sans visa, car
c'était la veille seulement, et à force d'insister,
que Johannes Hempel avait obtenu le papier
nécessaire. Il était là, dans l'aéroport.
Allions-nous être refoulés ? La possibilité de

franchir la douane resta douteuse jusqu'au dernier moment.

Cette première rencontre en Allemagne de l'Est fut sans doute la plus saisissante de toutes. Le soir, des milliers de jeunes venus de diverses régions d'Allemagne orientale se réunirent dans la grande église « Kreuzkirche » pour une prière qui se prolongea tard. Après la prière, Johannes Hempel était si touché qu'il ne pouvait plus parler. Il vivait un événement attendu depuis longtemps. Tard dans la nuit, il m'emmena chez lui, il mit un disque et, avec les siens, nous sommes restés longtemps en silence, attentifs à la musique…

Sa maison était sur écoute. Avant notre départ, pour pouvoir nous entretenir librement, il nous proposa d'aller marcher un moment au bord de l'Elbe. Cette promenade le long du fleuve restera pour toujours dans ma mémoire. Je sentais qu'il était possible de lui parler de ce qui nous préoccupait. La disponibilité de son esprit était telle que je pouvais tout lui dire. Aussitôt après, je notai ces mots dans mon journal : « Johannes Hempel… où trouver un être plus attentif et courageux, ouvert incomparablement ? »

De Johannes Hempel, ancien évêque luthérien de Dresde : Frère Roger est venu deux fois à Dresde pour animer une prière avec les jeunes et il a habité chez moi. La Kreuzkirche débordait et d'autres églises aussi. En pleine période de la République Démocratique Allemande, ce fut un profond moment d'espérance pour beaucoup de jeunes. Nos conversations sont inoubliables, en particulier au bord de l'Elbe, là où nous pouvions parler sans retenue, loin des écoutes policières. Reste aussi inoubliable son ouverture spirituelle à la volonté de Dieu et à ses commandements. Son désir était depuis le début de servir l'unité entre les Églises. Beaucoup ont partagé avec lui ce désir. Il continuera à agir. Quel chemin à la suite du Christ !

Prière autour de la croix
avec l'évêque catholique
Schaffran et l'évêque
luthérien Hempel,
Dresde, 1980

Les 14 évêques luthériens de
Suède à Taizé, mai 1994

Mère Teresa

Mère Teresa et frère Roger se rencontrent en 1976.
C'est le début d'une longue et forte relation qui les
amène, entre autres, à écrire trois livres ensemble.

Mère Teresa savait que nous sommes dans un monde où coexistent la lumière et les ténèbres et, par sa vie, elle invitait à choisir la lumière.

Je l'ai rencontrée dans les situations les plus diverses, entre autres en allant vivre, avec quelques-uns de mes frères, parmi les plus pauvres en Inde. Dans les années 1970 en effet, nous nous étions dit qu'il était important de partager pour un temps l'existence des plus pauvres. Nous avons compris qu'il serait possible de vivre à Calcutta, près des sœurs de Mère Teresa, et d'écrire là-bas une lettre aux jeunes, qui serait ensuite méditée pendant l'année qui suivrait.

À Calcutta, tous les matins les frères allaient travailler dans un lieu d'une grande

De sœur M. Nirmala, qui a succédé à Mère Teresa comme Supérieure générale des Missionnaires de la Charité, Kolkata, Inde : Frère Roger était un grand ami et un frère pour Mère Teresa, et pour notre Saint-Père, le Pape Jean Paul II, et aussi pour les jeunes, quels que soient leur religion, leur race, leur nationalité ou leur statut social. Il laisse derrière lui des milliers d'amis sur terre et va être sûrement accueilli au ciel par un grand nombre d'autres. Nous aimerions remercier frère Roger pour tout le bien qu'il a fait sur la terre, pour son appel, adressé à tous, à prier en silence, par la parole et par le chant. Nous aussi nous chantons les chants de Taizé. À cet apôtre infatigable de la paix, de la prière et de l'unité, Jésus a fait la grâce de partager sa mort. Sa vie est couronnée par le martyre.

pauvreté. Pour ma part, on m'avait dit que je pourrais aller dans une maison où il y avait des enfants, des tout-petits très malades, en particulier ceux qu'on n'arrivait pas à guérir. Tous les jours, j'avais dans mes bras une petite fille de cinq mois. Mère Teresa me dit : « Si vous l'emmenez en Europe, peut-être cette enfant pourra-t-elle survivre. » Je l'ai emmenée à Taizé. Le premier mois, elle ne dormait bien que dans mes bras. Puis les forces sont revenues et cette enfant a survécu. Ma sœur, qui avait recueilli à Taizé des enfants et les avait élevés comme s'ils étaient les siens, a adopté cette petite fille qui a maintenant grandi et est devenue adulte.

À Calcutta, j'ai acquis une si profonde confiance en Mère Teresa. Parmi les moments vécus plus tard avec elle qui ont compté, il en est un qui date de Rome en 1984 : nous avions été appelés à animer ensemble au Colisée la célébration ouvrant la première journée mondiale de la jeunesse.

La prière était pour Mère Teresa à la source d'un amour qui rend le cœur brûlant. Elle était consciente qu'une communion en Dieu nous sort de nous-mêmes et conduit à une transfiguration de notre personne. Et alors surgit la question : qu'elles soient morales ou physiques, comment alléger les souffrances humaines sur la terre ?

À travers
les continents

Les fraternités

*Dès les premières années de la communauté, dès que les
frères sont une douzaine, il paraît essentiel que certains
aillent partager l'existence des plus démunis, d'abord
non loin de Taizé, à Montceau-les-Mines, puis un peu
plus loin, à Marseille, puis certains traversent la Médi-
terranée et s'installent en Algérie, pays qui entre alors
dans une longue période de violences. Par la suite des
frères vont plus loin encore et certains vivent maintenant, en petites fraternités, parmi les plus pauvres en
Afrique, en Asie, en Amérique latine.*

À Chennai (Madras), Inde,
décembre 1985

Depuis plus de trente ans, quelques-uns
de nos frères sont au Bangladesh. Ils vivent
dans une grande simplicité, ne mangeant que
du riz et des légumes, un œuf ou un morceau
de poisson une fois par semaine. Souvent ils
reçoivent au repas les plus déshérités. Ils
accueillent, soutiennent des handicapés, et
accompagnent des malades pour qu'ils aient
les soins nécessaires. Ils aident des jeunes du
pays à prendre des responsabilités pour les

92

D'Elisabete Suzart, jeune du quartier où vivent les frères de Taizé, à Alagoinhas, au Brésil :

J'étais encore enfant quand les frères de Taizé sont arrivés à Alagoinhas, avec leur présence discrète mais vivante et active parmi nous, jeunes noirs, blancs, et métis de toutes couleurs, sans faire de différence entre les personnes ou les races. Nous avons été acceptés et toujours bien accueillis, et ensemble nous avons prié et fortifié notre foi et notre confiance dans une vie meilleure, rendant ainsi notre Brésil habitable et humain. C'est cela le message que nous avons capté dans la vie quotidienne des frères de Taizé. Le frère Roger toujours présent dans cette vie nous transmettait un message d'espérance dans l'amour inconditionnel du Dieu vivant pour nous, peuple souvent sans voix. Nous avons savouré son enseignement : « Comme c'est bon de vivre en frères tous ensemble. » À cause de cela je pense que son départ de cette terre, même s'il reste incompréhensible pour moi, est le mystère de l'amour du Christ crucifié et ressuscité dont je me souviendrai tous les jours de ma vie.

plus pauvres, entre autres en animant de petites écoles pour les enfants. Dès le début, des échanges confiants se sont établis avec des croyants musulmans.

Voici bien des années, avec l'un de mes frères, nous sommes allés visiter cette petite fraternité du Bangladesh. Arrivant devant leur pauvre demeure, nous avons découvert un enfant d'un an, vêtu d'un haillon, qui s'accrochait à son frère à peine plus âgé. Ces deux enfants nous attendaient. Prenant le plus jeune dans mes bras, je m'aperçus qu'il était figé de froid. Nous sommes d'abord entrés dans le petit oratoire pour prier. J'ai gardé l'enfant dans mes bras pour le repas. Peu à peu il s'est réchauffé et a fini par prendre un peu de nourriture. L'enfant se remet à vivre quand il ressent qu'il est aimé et qu'on prend soin de lui.

Avec mes frères, nous avons échangé. Leur présence paraît peu de chose. Mais, par elle, nous n'abandonnons pas certains des plus malheureux sur la terre. Comment tiendrions-nous à Taizé si plusieurs d'entre nous ne vivaient pas au milieu des plus pauvres en Asie, en Afrique, en Amérique latine ? Pourquoi aller vivre à quelques-uns dans de telles conditions et y rester de longues années, peut-être toute la vie ? Non pas pour apporter des solutions, mais avant tout pour être une simple présence d'amour. Oui, pour aimer et le dire par notre vie.

Entrer dans un temps de confiance

Frère Roger commence la communauté au moment où l'Europe est déchirée par la guerre. Dès que la paix revient, il crée des liens entre ceux qui naguère s'opposaient. La construction de l'église de la Réconciliation par de jeunes Allemands en 1961-62 en est un signe visible. Frère Roger ne se résout pas non plus à la division du continent en deux parties. Pendant presque trente ans, depuis la construction du Mur de Berlin en 1961 jusqu'à sa destruction en 1989, des frères, des jeunes envoyés par Taizé, visitent les chrétiens d'Europe de l'Est, enfermés dans leurs frontières. Leurs visites se font dans la plus grande discrétion, pour ne pas compromettre ceux qu'ils rencontrent. Frère Roger se rend lui-même dans la plupart des pays de l'Est.

C'est un étonnement pour nous d'accueillir tant de jeunes d'Europe de l'Est. Avec mes frères, il nous arrive de nous demander : où certains d'entre eux trouvent-ils le courage de traverser toute l'Europe, parfois dans de vieux autocars, pour venir participer à une semaine de prière et de rencontre, dans les conditions simples qui s'imposent à nous ? Pourquoi viennent-ils ? Peut-être à cause de ces longues années d'amitié et de souffrance partagée, pendant lesquelles leurs aînés ne pouvaient pas voyager, et où les multiples visites que nous faisions dans leurs pays ont construit une confiance réciproque.

Avec des enfants de tous les continents, visite à Javier Perez de Cuellar, secrétaire général de l'ONU, Genève, juillet 1985

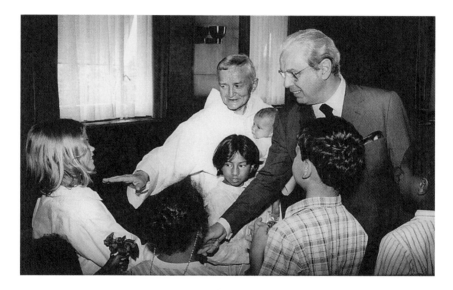

En cette aube d'un nouveau siècle, nombreux sont les jeunes disposés à participer à l'espérance d'une Europe réconciliée, ouverte et généreuse. Ils sont conscients que, loin de se replier sur elle-même, toujours l'Europe découvrira une part de son génie propre dans les solidarités avec les nations des autres continents. Beaucoup aspirent à sortir d'une période de défiance et même de soupçon, pour entrer dans un temps de confiance.

Pour ne pas manquer l'heure des réconciliations, c'est en chacun qu'il importe de commencer. La famille humaine se construit dans la mesure où beaucoup s'interrogent : suis-je un homme, une femme de paix intérieure décidé(e) à avancer dans le plus grand désintéressement, avec une compréhension infinie de l'autre ?

Si démunis soyons-nous, une des urgences est de mettre la compréhension réciproque là où il y a les oppositions. Certains souvenirs graves du passé peuvent suffire à entretenir un éloignement entre les nations. Rien n'est plus tenace que la mémoire des blessures et des humiliations. Elle parvient à se transmettre de génération en génération. Le pardon et la réconciliation, eux, donnent de passer au-delà de la mémoire.

Depuis des années, une crise de confiance se manifeste en particulier lorsque tel peuple se voit chargé de culpabilité. Il est tellement important de ne jamais humilier les membres d'une nation dont seuls un petit nombre de dirigeants ont un jour déclenché l'engrenage de la guerre et de la violence. On ne le dira jamais assez : il n'y a pas de peuple plus coupable que d'autres, cela n'existe pas et n'existera jamais.

De Jasmina et Jovana, Panèevo, jeunes de Serbie : Pendant de longues années, frère Roger a prouvé que des gens de cultures et convictions différentes peuvent vivre ensemble sans conflits, et que ce sont les jeunes qui ont la plus grande influence pour vivre vraiment la paix.

Visites en Europe
de l'Est

*À bien des reprises, alors qu'un mur coupe l'Europe
en deux, frère Roger va visiter des chrétiens d'Europe
de l'Est en Pologne, en Roumanie, en Russie,
en Tchécoslovaquie, en Hongrie, en Yougoslavie,
en Allemagne de l'Est.*

Juin 1978. Pourquoi aller passer une semaine en Russie, où les chrétiens connaissent la grande épreuve ? Des jeunes demandent cette visite depuis des années et une invitation du patriarcat de Moscou vient d'arriver. Aussi, avec deux de mes frères, nous sommes-nous mis en route.

Nous n'imaginions pas que nous connaîtrions des conditions aussi rigoureuses. C'est seulement le deuxième soir, après trente heures à Moscou, que nous pouvons entrer dans des églises. On nous place dans le chœur. Il suffit d'y être un moment pour pénétrer la foi des chrétiens russes, ils sont comme soulevés par la plénitude d'une ferveur. Les gens s'expriment presque uniquement à travers des gestes. Ils font souvent le signe de la croix. Avec des prostrations profondes, ils vont et viennent pour la salutation aux icônes. Nous découvrons l'imploration d'un peuple pauvre qui vit l'attente de Dieu.

Visite à Leningrad (aujourd'hui Saint-Pétersbourg). Le Métropolite Nikodim nous accueille de manière chaleureuse. Nous savons que tout ce qu'il dit est écouté, il faut veiller à ne pas le compromettre. Il nous emmène marcher dans la rue afin d'échanger plus librement. Puis il me demande de parler aux séminaristes. Le soir, il préside les vêpres à la cathédrale. Avec son cœur très large, il me présente et me demande à nouveau de prononcer quelques paroles. Par sa vie, cet homme de Dieu laisse pressentir que le secret de l'âme orthodoxe est avant tout dans une prière ouverte à la contemplation.

Au retour à Moscou, un de mes frères parvient à communiquer avec les jeunes qui nous attendent. Il leur dit que, dimanche, nous irons au monastère de la Trinité Saint-Serge, à Zagorsk (qui a retrouvé aujourd'hui son nom de Sergueï Possad), à soixante-dix kilomètres de Moscou. Ils pourront venir, car il y aura beaucoup de monde.

À Zagorsk, nous sommes accueillis dans l'église où le Patriarche Pimene de Moscou célèbre l'eucharistie de Pentecôte. À la fin de la célébration, on nous offre un peu de nourriture et le Patriarche nous reçoit. Puis nous pénétrons dans une autre église, la foule est dense, nous nous rendons compte que quelques-uns des jeunes sont là. Un contact fugitif avec eux est déjà suffisant pour toucher le cœur. Nous arrivons dans un murmure à leur demander de nous retrouver tout à l'heure dans un parc et à leur dire que nous serons demain matin à la cathédrale de Moscou.

Un peu plus tard, nous allons nous promener dans le parc. Les arbres permettent de se dissimuler un peu. Les jeunes marchent aussi. Feignant de se promener au milieu de la foule, ils vont et viennent, se montrent, disparaissent. En croisant l'un ou l'autre, il est possible de lui dire en russe : « Christos voskresse, le Christ est ressuscité. » Tout échange plus prolongé les compromettrait. Un garçon de 20 à 22 ans s'arrange pour nous croiser à plusieurs reprises. Il nous sourit. Mais, à un moment donné, son visage se plisse de souffrance quand il nous regarde. Puis il disparaît dans la foule.

Lundi, à Moscou, nous assistons à une célébration dans la cathédrale. L'un des jeunes n'était pas à Zagorsk, il se serait trop exposé. Quelqu'un nous prévient à l'oreille qu'il vient d'entrer et que nous le reconnaîtrons à son ciré jaune. Nous le rejoignons devant une icône où j'allume une bougie. Ensemble, entourés de la foule, nous allons, sans dire un mot, d'une icône à l'autre. Une seule fois, alors qu'il est tout proche, je peux lui dire : « Christos voskresse. » Et c'est tout. En regagnant la voiture qui nous attend devant la cathédrale, nous voyons encore une fois le jeune, debout au bord du trottoir, dans son ciré jaune. Nos regards se croisent, mais il est impossible de faire le moindre geste d'adieu.

De Moscou, nous avons ramené un nouveau symbole. Désormais, chaque vendredi soir, nous mettons l'icône de la croix au sol, et chacun va poser son front sur le bois de la croix, déposant en Dieu ses propres fardeaux et ceux des autres. Par ce geste, il est possible d'accompagner le Ressuscité qui partage les souffrances de ceux qui connaissent l'épreuve à travers la terre.

S'il y eut des pays d'Europe de l'Est où les chrétiens obtinrent l'autorisation de nous inviter pour des rencontres de jeunes, la Pologne, l'Allemagne de l'Est, il y en eut d'autres, comme la Tchécoslovaquie ou la Hongrie, où les conditions furent sévères : on me fit savoir que le visa ne me serait pas refusé, mais que je ne pourrais ni parler publiquement, ni prononcer une prière, et on ne pourrait pas chanter de chants de Taizé dans les églises.

En dépit de ces conditions, fallait-il quand même y aller ? Oui. Peu à peu nous avons compris que, s'il n'était pas possible de parler dans les églises à ceux qui nous attendaient, il y avait un sens à être au milieu d'eux, à prier auprès d'eux, à nous tenir en silence avec eux.

En Tchécoslovaquie, l'évolution des années 1970 fut pesante. Après deux ans de liberté relative, de nombreux prêtres, pasteurs, religieux perdirent à nouveau la possibilité d'exercer leur ministère et le faisaient clandestinement, tout en travaillant dans des usines. Ce fut le cas notamment d'un ami de longue date, le remarquable pasteur Kocáb. Il était fréquent qu'un prêtre soit emprisonné parce que la police l'avait surpris à célébrer la messe dans une famille.

Parmi ceux qui furent emprisonnés, il y eut un père de dix enfants, informaticien, Jiří

Kaplan. Une des raisons de son arrestation fut qu'il traduisait des livres de Taizé. Sa femme, Maria, était courageuse, intrépide. Elle nous écrivit en 1979 : « Jiří est de nouveau en prison. Nous souffrons de le savoir interrogé, soumis aux pressions psychologiques. Mais nous remercions Dieu qu'il ne soit pas torturé physiquement. Ne priez pas seulement pour nous et pour les prisonniers, mais priez aussi pour ceux qui nous persécutent et nous font du mal. Ils en ont encore plus besoin que nous. »

En 1981, le courageux cardinal Tomášek me fit savoir que je devais venir à Prague en dépit de toutes les impossibilités. Les restrictions imposées firent naître l'idée de préparer une visite de deux jours sous forme d'un pèlerinage d'église en église, donnant rendez-vous aux uns dans un lieu, aux autres dans un autre. Avec mes frères, nous nous placions sur le passage de ceux qui revenaient de la communion. J'avais appris à dire en tchèque : « La paix soit avec toi. » Le lent défilé permettait un instant de contact avec chacun. Certains voulaient me passer un papier, je devais le refuser, car tout était surveillé. On saisissait la peur qui les étreignait. S'il n'était pas possible de leur dire un seul mot, il était possible de nous taire avec eux.

Cinq mois plus tard, on nous téléphonait

de Tchécoslovaquie pour dire que plusieurs de nos amis avaient été condamnés. Leur peine allait d'un mois à trois ans de prison. On les accusait d'avoir diffusé des textes chrétiens, entre autres des textes de Taizé. À la fin du procès, ils avaient souhaité nous faire savoir qu'ils ne perdaient pas courage et qu'ils tenaient bon. Au moment de leur condamnation, menottes aux mains, ils avaient chanté le chant qui avait été composé à l'occasion de notre visite à Prague. En ces années-là, ce chant fut entendu au moment de bien d'autres procès : « Nebojte se, radujte se ! Kristus slavný vítěz z hrobu vstal. N'ayez pas peur. Réjouissez-vous. Le Christ est ressuscité. »

À Budapest, octobre 1983

1983. Gyula et Judit Gaizler, couple de médecins hongrois, passent quelques jours à Taizé. Nous parlons des visites que quelques-uns de mes frères font régulièrement aux chrétiens de leur pays, dans la plus grande discrétion. Ils m'invitent avec insistance à aller moi-même à Budapest. Si nous acceptons les mêmes conditions qu'à Prague il y a deux ans (limiter la visite à deux jours, ne préparer aucune prière particulière mais participer aux célébrations habituelles des chrétiens, ne prononcer aucune parole publique), ils pensent qu'une visite sera possible.

Dès l'arrivée, avec l'un de mes frères, on nous fait entrer dans une église par derrière et on me place dans le chœur de façon à n'être pas vu. L'église est bondée. De bouche à oreille, des jeunes de toute la Hongrie ont su que nous venions. Les jeunes de Budapest ont fait en sorte que ceux des différentes régions du pays se répartissent en trois lieux, samedi soir, dimanche à midi et dimanche soir, pour que les églises ne débordent pas à l'extérieur. Sans le dire explicitement, le prêtre lit des textes de Taizé comme méditation. Après la distribution de la communion, je passe de l'un à l'autre, pour dire à chacun, en hongrois : « Krisztus feltámadt ! Le Christ est ressuscité ». Le prêtre de cette paroisse, Imre Kozma, rayonne la sainteté de Dieu. Il a déjà eu des difficultés avec la police à d'autres occasions. Il a pris un risque en nous accueillant.

Dimanche matin, après avoir été prier dans une église protestante, nous participons, dans les mêmes conditions que la veille, à l'eucharistie dans une grande église du centre.

Le dimanche soir, pour la troisième prière, l'église est à nouveau comble et tout se passe de la même manière. « Le Christ est ressuscité » : ce sont les seules paroles que je prononce, des centaines de fois. Ici aussi, la prière est longuement prolongée, mais nous

De Richard Hardi, de Budapest, qui avait 25 ans au moment de la visite de frère Roger : En 1983, nous avions su que tu viendrais à Budapest. Alors j'ai tout fait pour te rencontrer. Je me souviens, les autorités t'avaient interdit de parler avec les fidèles. Alors tu t'es résolu à être simplement avec nous, sans dire un mot. Vers la fin de la prière, pour te donner le baiser de la paix, on s'avançait lentement. J'ai vu la joie sur le visage des gens, j'ai vu couler des larmes sur des visages durcis et figés par un régime sans pitié. Me trouvant devant toi, j'ai dit tout simplement en français : « Merci d'être venu ! » Ton visage s'ouvrit en un large sourire. Une grande paix envahit mon cœur, et je repartis les larmes aux yeux. Nous avons prié longtemps encore… Frère Roger, merci !

devons partir, car tout est surveillé, et laisser les jeunes continuer à prier.

Le lundi matin, nous allons prendre congé du cardinal Lékai. Il est ému par notre visite à Budapest et ne cache pas son émotion. Puis le prêtre du premier soir et un jeune juriste qui est un tout proche ami, Pál Solt, nous accompagnent à l'aéroport. Ils redisent combien ils sont reconnaissants des visites des frères, des jeunes. Ils désirent que nous poursuivions. La voiture passe devant quatre casernes militaires russes. Il y a là de jeunes Russes qui y demeurent trois ans sans jamais rentrer chez eux. On en aperçoit quelques-uns qui balaient devant les portes ou suivent une instruction. Ils ne peuvent jamais sortir se promener. Impossible de savoir le nombre de jeunes Russes ainsi dispersés en Europe de l'Est. Eux aussi font partie de cette jeunesse européenne éprouvée…

À Piekary (Pologne), avec le futur Jean-Paul II, mai 1973

Visites sur
les autres continents

De 1974 à 1995, frère Roger se rend presque tous les ans dans un des continents du sud, pour exprimer une solidarité avec le peuple chilien victime d'un coup d'État, pour vivre un temps parmi les plus pauvres en Inde, sur la Mer de Chine, au Kenya, en Éthiopie, à Haïti, en Mauritanie, pour animer des rencontres de jeunes aux Philippines, en Inde, en Afrique du Sud, pour être proche des Libanais victimes de la guerre…

À Hong-Kong, Mer de Chine, novembre 1977

Nous gardons un vif souvenir de Madras, en Inde. Pendant quelque temps, nous avons habité deux pièces dans un quartier qui ressemblait à beaucoup d'autres : des égouts à ciel ouvert, des moustiques, des baraques dont une partie des toits avait été emportée par un ouragan, la veille de notre arrivée.

Après la pluie, nous avons visité nos voisins. La plupart d'entre eux étaient hindous. Ils habitaient dans ce qu'on n'ose même pas appeler des huttes. C'étaient des toits de paille qui tombaient très bas, pour créer une protection contre la pluie et le soleil. Il fallait se courber pour entrer. Dans l'une de ces huttes, abrité par la portion de toit qui restait, était étendu un jeune père de huit enfants. Il était couché sur une natte, la famille ne possédait pas de couverture. Il avait de l'asthme, peut-être la tuberculose. La dignité de cette famille était impressionnante.

Nous sommes restés plusieurs semaines. Fin décembre, nous partions chaque jour rejoindre les milliers de jeunes qui s'étaient réunis pour la rencontre que mes frères préparaient depuis deux ans. Nous montions avec une dizaine d'enfants du quartier dans un petit « rickshaw », voiture ouverte à trois roues. Et nous parvenions à une vaste « église » qui avait été construite en quelques jours, faite de bambou et de feuilles de coco-tier entrelacées. Une décoration avait été aménagée, avec des lampes à huile et des guirlandes de fleurs. Dans cette « église » provisoire nous avions chaque jour la prière commune. Les chants, en particulier les refrains millénaires de la tradition indienne, soutenus par la beauté des voix humaines, exprimaient l'attente contemplative de Dieu.

Des jeunes étaient venus de toutes les régions de l'Inde, d'une vingtaine de pays d'Asie et de beaucoup de pays d'Europe. Une rencontre accueillie par les pauvres, et vécue dans une grande simplicité : il y avait de quoi combler nos cœurs.

Après la rencontre, quitter nos voisins du quartier était difficile. Certains d'entre eux étaient devenus comme notre famille. Les regards étaient poignants. Ils avaient du mal à nous voir partir. Leur confiance, c'était du feu.

À Haïti, novembre 1983

En partant je me disais : bien sûr, dans l'hémisphère Nord aussi, il y a des situations lourdes d'un poids d'épreuve, mais elles sont souvent moins visibles. Certains jeunes ressemblent à tous les autres par leur habillement, leur comportement, mais leur cœur connaît un ravage. En Inde il y a des mouroirs visibles, mais en Occident ces jeunes se trouvent comme dans des mouroirs invisibles. Marqués par des ruptures d'affection, des détresses intérieures, il en est qui se demandent : ma vie a-t-elle encore un sens ?

De Mgr Pierre André Dumas, évêque auxiliaire de Port-au-Prince, Haïti :
Face au mystère du mal il y a le mystère du bien, et même si les forces des ténèbres semblent prévaloir, le croyant sait que le mal et la mort n'ont pas le dernier mot. Que les paroles écrites par frère Roger lors de sa visite à Haïti en décembre 1983 nous aident tous à marcher sur le chemin qu'il a ouvert pour l'humanité. Il écrivait : « Qui préparera des voies pour que soit réduite la souffrance à travers la terre ? Qui soulèvera une espérance pour les peuples qui vivent au sombre pays où règnent la violence et la mort ? »

En Amérique latine, nous avions décidé d'aller passer un temps dans le sud du Chili, où vivent des populations indiennes. Un jeune Africain nous avait précédés, il avait trouvé pour nous une baraque dans un bidonville. Elle avait deux parties : une pièce pour prier et pour dormir, un appentis au sol de terre battue pour faire la cuisine.

La population indienne était accueillante au possible. Le premier matin, deux femmes arrivèrent avec deux pains chauds. Alors qu'elles avaient si peu de farine pour leur famille, elles les avaient faits pour nous. Gênés, nous ne pouvions qu'accepter simplement.

Le petit Teko venait souvent près de nous. Le père était alcoolique. La mère était à peine capable d'assurer les travaux du ménage. Quand elle marchait, cette Indienne se tenait très droit, la tête fixe, seuls les yeux semblaient bouger. Les quatre enfants étaient marqués. Parfois ils criaient toute la nuit dans leur baraque, à deux mètres de la nôtre.

Dans notre baraque, nos seuls meubles étaient une petite table et un tabouret que nous utilisions à tour de rôle pour écrire. Nous avions arrangé un angle de prière : un tissu indien suspendu à la paroi, une icône. Un endroit où s'agenouiller, même minuscule, est si essentiel.

Au premier abord, on ne se rendait pas compte de l'extrême pauvreté. Les enfants étaient vêtus, les femmes avaient une grande dignité. Les jours passant, nous avons mieux saisi. Les pluies, fréquentes dans la région, commencèrent à transformer le quartier en un vaste bourbier. Il fallait trouver des morceaux de bois pour passer à travers la boue et sortir de chez soi. La nuit, le vent froid soufflait en rafales et pénétrait entre les planches. Beaucoup de nos voisins avaient très peu de nourriture.

À Nairobi, au Kenya, le quartier où nous souhaitions habiter s'appelait Mathare Valley. C'était le plus grand bidonville de la capitale, un des plus pauvres d'Afrique. On nous avait dit que c'était un quartier dangereux, où régnaient la peur, la violence, l'alcoolisme, le vol, et qu'il ne serait pas possible d'y demeurer, aucun Blanc n'y ayant jamais vécu.

À notre première visite, pataugeant dans la boue, nous avons été attirés par une baraque dont la porte était fermée au cadenas. Elle était à louer. Le propriétaire, qui en avait trouvé une autre pour lui-même, nous dit qu'il avait tardé à quitter celle-ci : « Maintenant que vous êtes là, ajouta-t-il, je comprends que si j'ai attendu, c'était pour Dieu. » Et il nous la loua. Après un moment d'hésitation, nous avons pris la décision d'y

De Peter, prêtre en Ouganda :
Frère Roger m'a aidé à apprécier l'importance de la réconciliation et à construire la confiance entre les gens. À un moment où notre pays traversait une période très difficile, il a allumé en moi l'espérance et m'a aidé à croire que les êtres humains peuvent surmonter les problèmes qu'eux-mêmes créent. Cette inspiration m'a guidé dans mon travail pastoral.

vivre. N'étions-nous pas venus pour être parmi les plus pauvres ?

La baraque donnait sur le chemin boueux où tous jetaient leurs ordures. Il n'y avait qu'un seul robinet d'eau, à trente mètres, pour tout le quartier. Sur le sol de terre battue, nous avons placé de la paille qui créait comme une surface dorée. L'icône de la Vierge, la croix, la réserve eucharistique, ménageaient un lieu d'adoration.

Les enfants étaient constamment à graviter autour de la baraque. On voyait partout des petites filles portant un bébé sur le dos. À l'heure de la prière du soir, beaucoup de voisins venaient nous rejoindre.

Écrivant ensemble un texte pour les jeunes, nous cherchions des voies qui permettraient de sauter les murailles des durcissements confessionnels ou raciaux. Un remarquable jeune du quartier, Isaiah, venu partager notre vie, disait : « Chez nous, nous sommes minés par les divisions tribales, et s'y ajoutent les divisions importées d'Europe au nom de la foi ; au Kenya, il y a plus de trois cents toutes petites Églises autonomes. »

À la fin de notre séjour, deux de mes frères restèrent et continuèrent à vivre dans la baraque. D'autres frères les rejoignirent, et ils y demeurèrent pendant des années, jusqu'au moment où une partie du bidonville fut détruite et qu'ils durent changer de quartier.

Dieu de toute miséricorde, donne nous de
t'écouter quand en nous résonne ton appel :
va de l'avant, que ton âme vive !
nous voudrions tant accueillir la certitude
que tu aimes chacun de nous, sans exception.

Jésus le Christ, dans ton Évangile
tu nous l'assures :
je ne vous laisserai jamais seuls ; je vous
enverrai l'Esprit Saint. Il sera un soutien
et un consolateur ... et il restera avec vous
pour toujours.

À Mathare Valley, Nairobi
(Kenya), novembre 1978

Une vie donnée
pour la paix

La mort

Frère Roger meurt le 16 août 2005, tué pendant la prière du soir dans l'église de la Réconciliation. Quatre jours plus tard, il y aurait eu soixante-cinq ans qu'il était arrivé pour la première fois à Taizé. Il venait d'avoir, le 12 mai, 90 ans.

Je ne peux pas oublier un soir de l'été 1942, alors que j'étais encore seul à Taizé. J'étais assis à une petite table sur laquelle j'écrivais. C'était la guerre. Je me savais en danger à cause des réfugiés que j'hébergeais dans la maison. Parmi eux, il y avait des Juifs. La menace d'être arrêté et emmené était pesante. Une police en civil venait fréquemment m'interroger. Ce soir-là, face à la peur qui prenait aux entrailles, je fus habité par une prière de confiance que je dis à Dieu : « Même si la vie m'est enlevée, je sais que toi, le Dieu vivant, tu poursuivras ce qui a été commencé ici, la création d'une communauté. »

De Jean-François Arnoux, France : Le sang de frère Roger a été versé dans l'église de la Réconciliation, au moment de la prière. Ceci scellera de manière indélébile sa présence et l'action entreprise, dans le cœur du Christ et le cœur de l'Église. Quoi de plus beau que d'être configuré au Christ ? Au-delà du geste fou qui a coûté la vie de frère Roger, au-delà de la peine que cela engendre, il y a l'espérance formidable que tout ce qui est ensemencé dans le don de sa vie porte un fruit qui demeure.

De Marguerite Léna, de Paris :
Peut-être y a-t-il comme un secret de communion entre Dieu et ceux qu'Il appelle à être à sa suite des artisans de réconciliation dans le monde, qu'ils s'appellent Edith Stein, Oscar Romero, Alexandre Men, Christian de Chergé, frère Roger… : il leur confie cette mission sacerdotale de transfiguration de la violence du monde par le geste de l'offrande totale, en victimes de cette violence. Un geste non choisi – la violence est subie et nul ne saurait y consentir sans s'en faire obscurément le complice. Mais un geste eucharistique qui en change la substance en amour et en pardon, de manière aussi radicale, aussi mystérieuse que le geste sacramentel fait du pain le Corps du Seigneur. Cette mort scandaleuse, sans raison aux yeux des hommes – « je ne trouve rien en cet homme qui mérite la mort » – revêt alors aux yeux de la foi la profondeur insondable du mystère du salut. Elle engendre à la Vie.

Le fond de la joie, certains le découvrent dans le consentement à laisser un jour la vie terrestre pour une vie qui ne finira pas.

Pour ma part, je sais qu'il y a une paix du cœur à saisir que la mort n'est pas un achèvement : elle ouvre le passage vers une vie où Dieu nous accueille à jamais en lui. Bien sûr, j'aurai de la peine à quitter mes frères, à quitter tant de jeunes, ou de moins jeunes, dont les intuitions auront été des lumières dans ma vie. J'aurai de la peine à quitter Marie, cette petite fille de quatre mois, que Mère Teresa avait déposée dans mes bras pour que je l'emmène de Calcutta à Taizé, afin que sa santé très atteinte se remette.

Mais, par l'Évangile, nous comprenons que Dieu nous veut heureux et que nous ne pouvons pas, par notre inquiétude, ajouter un seul jour à notre vie. Ma mère, quand elle était déjà très âgée, fit une crise cardiaque. Dès qu'elle eut retrouvé la possibilité de parler, elle prononça ces mots : « Je n'ai pas peur de la mort, je sais en qui je crois… mais j'aime la vie. » Et le jour même de sa mort, elle murmurait : « La vie est belle… » Elle voulait apporter une consolation et donner une espérance à un proche qui avait tant de peine à la voir partir. Consentir à sa propre mort donne de retrouver un courant de vie.

Le pardon

*Lors des obsèques de frère Roger, frère Alois, qu'il a
choisi comme successeur, prie : « Dieu de bonté, nous
confions à ton pardon celle qui, dans un acte maladif,
a mis fin à la vie de notre frère Roger. Avec le Christ
sur la croix nous te disons : Père, pardonne-lui, elle ne
sait pas ce qu'elle a fait. »*

Pour vivre le Christ au milieu des autres,
un des plus grands risques est le pardon.
Pardonner et encore pardonner, voilà qui
efface le passé et plonge dans l'instant
présent. Pardonner : là est l'extrême de
l'amour.

Les humains sont parfois sévères. Dieu,
lui, vient nous revêtir de la compassion.
Jamais, au grand jamais, Dieu n'est un tour-
menteur de la conscience humaine. Il tisse
notre vie, comme un beau vêtement, avec les
fils de son pardon. Il enfouit notre passé dans
le cœur du Christ et de notre futur il a déjà
pris soin. La certitude du pardon est la plus

De Corine, Nice, France :
J'ai été touchée par la tolérance, le message de pardon,
l'amour et l'extrême dignité
des obsèques. Le commun des
mortels, quand il se trouve
meurtri dans sa chair ou face à
des circonstances dramatiques
qui le touchent de près, cède
au doute, à la colère, à la tristesse, à la peur. Vous prônez le
pardon et vous êtes capables
de le vivre et de l'accorder
dans des circonstances aussi
violentes que celles de la mort
de frère Roger. Vous croyez en
l'amour de Dieu, en l'amour
entre les êtres humains, en la
confiance : l'intensité de votre
foi m'est une grande aide.

D'Elisabetta, jeune italienne :
Si frère Roger pouvait encore nous dire quelque chose, ce serait des paroles de compassion. Du fond de son inépuisable paix intérieure, il exprimerait un simple « Pardonnez ».

inouïe, la plus invraisemblable, la plus généreuse des réalités d'Évangile. Elle rend libre, incomparablement.

Frère Alois

Le cardinal Kasper, de Rome

L'évêque anglican McCulloch, représentant de l'archevêque de Canterbury

L'évêque luthérien Huber,
président de l'Église
évangélique allemande.
Le pasteur de Clermont,
président de la Fédération
protestante de France

L'évêque Marc, de Roumanie,
et d'autres prêtres orthodoxes

Un avenir de paix

Dans les semaines qui précédaient sa mort, frère Roger avait commencé à réfléchir à la lettre qu'il adresserait aux jeunes en décembre 2005 lors de la rencontre européenne à Milan, il en avait indiqué les thèmes. Quatre mois après sa mort, la communauté publie sa « Lettre inachevée » qui commence et se termine par un appel à la paix :

« Je vous laisse la paix, je vous donne ma paix » : quelle est cette paix que Dieu donne ? C'est d'abord une paix intérieure, une paix du cœur. C'est elle qui permet de porter un regard d'espérance sur le monde, même s'il est souvent déchiré par des violences et des conflits.

Cette paix de Dieu est aussi un soutien pour que nous puissions contribuer, tout humblement, à construire la paix là où elle est menacée. Une paix mondiale est si urgente pour alléger les souffrances, en particulier pour que les enfants d'aujourd'hui et

De Tahar, musulman : Frère Roger était un juste parmi les justes et un messager de paix. C'est ainsi que je l'ai connu et ainsi que je le garderai en souvenir. Que la paix et le salut de Dieu soient sur lui !

D'Ana, Sarajevo, Bosnie-Herzégovine : La première fois que je suis venue à Taizé en 1994, j'étais une personne « réfugiée » loin de Sarajevo, ma ville natale alors assiégée. J'avais apporté avec moi une forte et intense expérience de Dieu que de nombreux jeunes avaient faite en continuant leur vie chrétienne dans les communautés de Sarajevo malgré la guerre. Mais j'étais en même temps blessée de ne pas pouvoir partager la richesse de cette expérience dans le monde « normal ». C'est à ce moment-là que j'ai été invitée à Taizé et que j'y ai découvert un incroyable lieu d'accueil et de compréhension, en particulier à travers frère Roger. Mes blessures se sont guéries, j'ai pu continuer ma vie, finir mes études à Zagreb où je me suis réfugiée, plus tard amener de nombreux groupes de Sarajevo et de Croatie à Taizé et aux rencontres européennes… et finalement me retrouver, remplie d'espérance, dans ma bien-aimée Sarajevo. Je prie pour que l'Esprit Saint demeure toujours auprès de la communauté de Taizé, en mémoire de ce grand homme qui a su apporter une telle fraîcheur à notre vie spirituelle.

Du Docteur Dalil Boubakeur, Président du Conseil français du culte musulman, Recteur de l'Institut Musulman de la Mosquée de Paris : Attristé par la mort brutale de frère Roger qui l'arrache violemment à l'affection de sa communauté et au respect qu'il a su inspirer autour de lui, je tiens à présenter au nom de tous les musulmans de France nos condoléances sincèrement émues. Sa vie de croyant consacrée à un rassemblement transcendant clivages et obédiences est un exemple à méditer. Son œuvre l'inscrit sur le chemin de la paix, de la concorde et de la fidélité.

de demain ne connaissent pas l'angoisse et l'insécurité.

Chercher réconciliation et paix suppose une lutte au-dedans de soi-même. Ce n'est pas un chemin de facilité. Rien de durable ne se construit dans la facilité. L'esprit de communion n'est pas naïf, il est élargissement du cœur, profonde bienveillance, il n'écoute pas les soupçons.

Pour être porteurs de communion, avancerons-nous, dans chacune de nos vies, sur le chemin de la confiance et d'une bonté du cœur toujours renouvelée ? Sur ce chemin, il y aura parfois des échecs. Alors, rappelons-nous que la source de la paix et de la communion est en Dieu. Loin de nous décourager, nous appellerons son Esprit Saint sur nos fragilités.

Et, tout au long de l'existence, l'Esprit Saint nous donnera de reprendre la route et d'aller, de commencement en commencement, vers un avenir de paix.

Créer dans la famille humaine des possibilités pour élargir…

Dans une introduction à la « Lettre inachevée » de frère Roger, frère Alois raconte :

L'après-midi de sa mort, le 16 août, frère Roger appela un frère et lui dit : « Note bien ces mots ! » Il y eut un long silence, pendant qu'il cherchait à formuler sa pensée. Puis il commença : « Dans la mesure où notre communauté crée dans la famille humaine des possibilités pour élargir… » Et il s'arrêta, la fatigue l'empêchant de terminer sa phrase.

On retrouve dans ces mots la passion qui l'habitait, même dans son grand âge. Qu'entendait-il par « élargir » ? Il voulait probablement dire : tout faire pour rendre plus perceptible à chacun l'amour que Dieu a pour tous les humains sans exception, pour tous les peuples. Il souhaitait que notre petite communauté mette en lumière ce mystère, par sa vie, dans un humble engagement avec d'autres. Alors, nous les frères, nous voudrions relever ce défi, avec tous ceux qui à travers la terre cherchent la paix.

De Kofi Annan, Secrétaire Général des Nations Unies :
Selon les meilleures traditions de la foi qui le portait, frère Roger a consacré sa vie à servir la paix, le dialogue et la réconciliation. Il s'était fait l'avocat inlassable des valeurs de respect, de tolérance et de solidarité, en particulier auprès des jeunes. Son message d'espoir et de confiance restera une source d'inspiration pour tous.

La mort de frère Roger
a mis un sceau sur
ce qu'il a toujours été

Dans beaucoup de messages que nous avons reçus, la mort de frère Roger a été comparée à la mort violente de Martin Luther King, de Mgr Romero ou de Gandhi. À ce moment-là, cela nous a sûrement aidés de voir frère Roger dans la lignée de ces témoins qui ont donné leur vie. Toutefois, en y réfléchissant un peu plus, on ne peut pas nier qu'il y ait aussi une différence. Car ceux-là se trouvaient dans un combat d'origine politique, idéologique, et ont été assassinés par des adversaires qui ne pouvaient pas supporter leur opinion et leur influence. La mort des moines de Tibhirine, elle aussi, se situe dans le contexte d'un affrontement politique, même s'ils ont été éliminés non par peur de l'influence qu'ils auraient pu avoir sur les événements, mais simplement parce qu'ils étaient un symbole trop fort.

Certains diront qu'il est vain de chercher une explication à l'assassinat de frère Roger. En effet, le mal, le vrai mal, déjoue toujours toute explication. Un juste de l'Ancien Testament en avait conscience quand il disait qu'on le haïssait « sans raison » (Ps 69, 5), et saint Jean a mis cette même affirmation dans la bouche de Jésus : « Ils m'ont haï sans cause » (Jean 15, 25). Dans ce sens il est donc inutile de s'interroger sur un pourquoi.

Cependant, en côtoyant frère Roger, un certain aspect de sa personnalité m'a toujours frappé, et je me demande si cet aspect-là n'explique pas pourquoi c'est lui qui a été visé. Frère Roger était un innocent. Ce mot, je ne le prends pas dans le sens qu'il n'y aurait pas eu de fautes en lui. L'innocent est quelqu'un pour qui les choses ont une évidence et une immédiateté qu'elles n'ont pas de la même façon pour les autres. Pour l'innocent, la vérité est évidente. Elle ne dépend pas de raisonnements, de recherches. Il la « voit » pour ainsi dire, et il a de la peine à se rendre compte que d'autres ont une approche plus laborieuse. Ce qu'il dit ou ce qu'il propose de faire est pour lui simple et clair, et il s'étonne que d'autres ne le ressentent pas ainsi. On comprend aisément que, de cette façon, il se trouve souvent désarmé ou se sent vulnérable. Pourtant, son innocence n'a en général rien de naïf. Pour lui, le réel n'a pas la même opacité que pour les autres. Il « voit à travers ».

Je prends l'exemple de l'unité des chrétiens. Pour frère Roger, il était évident que si cette unité était voulue par le Christ et rendue possible par lui, elle devait pouvoir être vécue sans tarder. Les arguments qu'on lui opposait devaient lui paraître artificiels. Il devait avoir l'impression qu'on s'en servait pour justifier des positions qu'on ne voulait pas abandonner. Pour lui, l'unité des chrétiens était avant tout une question de réconciliation. Et dans le fond il avait raison, car, nous autres, nous nous demandons beaucoup trop peu si nous sommes prêts à payer le prix de cette unité. Une réconciliation qui ne nous touche pas dans notre chair mérite-t-elle encore son nom ?

On disait de lui qu'il n'avait pas de pensée théologique. Mais ne voyait-il pas beaucoup plus clair que ceux qui disaient cela ? Depuis des siècles, les chrétiens ont eu besoin de justifier leurs divisions. Ils ont artificiellement agrandi les oppositions. Sans s'en rendre compte, ils sont entrés dans un processus de rivalité et l'évidence de ce phénomène leur a échappé. Ils n'ont pas « vu à travers ». L'unité leur paraissait impossible.

Frère Roger était un homme réaliste. Il tenait compte de ce qui demeure irréalisable, surtout du point de vue institutionnel. Mais il ne pouvait pas s'arrêter à cela. Cette innocence que j'ai évoquée lui donnait une force persuasive très particulière, une sorte de douceur qui jamais ne s'avouait vaincue. Jusqu'au bout, il a vu l'unité des chrétiens comme une question de réconciliation. Or la réconciliation est une démarche que chaque chrétien peut faire. Si tous la faisaient effectivement, l'unité serait toute proche.

Il y avait un autre domaine où cette approche de frère Roger était très sensible et où l'on voyait peut-être encore mieux sa personnalité avec ce qu'elle avait de radical : tout ce qui pouvait jeter un doute ou une ombre sur l'amour de Dieu lui était insupportable. Je l'ai vu une fois troublé en se demandant comment le Psaume 103 pouvait dire de Dieu qu'« il n'est pas toujours en procès et qu'il ne garde pas rancune indéfiniment » (v. 9). Les gens devraient-ils donc croire qu'en Dieu il y aurait le besoin de faire un procès et que garder rancune serait dans sa nature ? Ici, on touche à nouveau à cette compréhension très immédiate des choses de Dieu. Ce n'était pas qu'il refusait de réfléchir, mais il ressentait très fortement en lui-même qu'un certain langage qui se veut juste – par exemple sur l'amour de Dieu – obscurcit en réalité ce que des gens non avertis attendent de cet amour.

Si frère Roger a beaucoup insisté sur la bonté profonde de l'être humain, c'est à voir dans la même lumière. Il ne se faisait pas d'illusion sur le mal. Il était plutôt vulnérable de nature. Mais il avait la certitude que si Dieu aime et pardonne, il refuse de revenir sur le mal. Tout vrai pardon éveille le fond du cœur humain, ce fond qui est fait pour la bonté et qui l'attend.

Paul Ricœur a été extrêmement frappé par cet accent sur la bonté. Il voyait là le sens de la religion : « Libérer le fond de bonté des hommes, aller le chercher là où il est complètement enfoui. » Dans le passé, une certaine prédication chrétienne est sans cesse revenue sur la nature humaine foncièrement mauvaise. Elle le faisait pour garantir la pure gratuité du pardon. Mais elle a éloigné beaucoup de gens de la foi ; même s'ils entendaient parler de l'amour, ils avaient l'impression que cet amour gardait des réserves et que le pardon annoncé n'était donc pas total.

Le plus précieux de l'héritage de frère Roger se trouve peut-être là : ce sens de l'amour et du pardon, deux réalités qui avaient pour lui une évidence et qu'il saisissait avec une immédiateté qui nous échappait souvent. Dans ce domaine, il était vraiment l'innocent, toujours simple, désarmé, lisant dans le cœur des autres, capable d'une extrême confiance. Son très beau regard traduisait cela. S'il se sentait si bien avec les enfants, c'est que ceux-ci vivent les choses avec la même immédiateté ; ils ne peuvent se protéger et ils ne peuvent croire ce qui est compliqué ; leur cœur va droit à ce qui les touche.

Je sais bien que le doute n'était jamais absent chez frère Roger. C'est pour cela qu'il aimait les paroles : « Ne laisse pas mes ténèbres me parler ! » Car les ténèbres, c'étaient les insinuations du doute. Mais ce doute n'entamait pas l'évidence avec laquelle il ressentait l'amour de Dieu. Peut-être même ce doute réclamait-il un langage qui ne laisse subsister aucune ambiguïté. L'évidence dont je parle ne se situait pas au niveau intellectuel, mais plus profondément, au niveau du cœur. Et comme tout ce qui ne peut pas être protégé par des raisonnements forts ou des certitudes bien bâties, cette évidence était nécessairement fragile, exposée.

Dans les Évangiles, la simplicité de Jésus dérange. Certains auditeurs se sont sentis mis en question. C'était comme si les pensées de leur cœur étaient dévoilées. Le langage clair de Jésus et sa façon de lire dans les cœurs constituaient pour eux une menace. Un homme qui ne se laisse pas enfermer dans les conflits que nous nourrissons en nous-mêmes, apparaît dangereux à certains. Cet homme fascine, mais la fascination peut facilement devenir hostilité.

Frère Roger a sûrement fasciné par son innocence, sa perception immédiate, son regard. Et je pense qu'il a vu dans les yeux de certains que la fascination pouvait se transformer aussi en méfiance ou en agressivité. En effet, pour quelqu'un qui porte en soi des conflits insolubles, cette innocence a dû devenir insupportable. Alors il ne suffisait pas d'insulter ou de bafouer cette innocence. Il fallait l'éliminer. Le docteur Bernard de Senarclens a écrit à propos de la personne qui a mis fin à la vie de frère Roger : « Si la lumière est trop vive, et je pense que ce qui émanait de frère Roger pouvait éblouir, cela n'est pas toujours facile à supporter. Alors ne reste que la solution d'éteindre cette source lumineuse en la supprimant. »

J'ai voulu écrire cette réflexion, car elle permet de faire ressortir un aspect de l'unité de la vie de frère Roger. Sa mort a mystérieusement mis un sceau sur ce qu'il a toujours été. Car il n'a pas été tué pour une cause qu'il défendait. Il a été tué à cause de ce qu'il était.

Frère François, de Taizé

Chronologie de la vie de frère Roger

1915   Le 12 mai, naissance à Provence (Suisse), neuvième enfant de Charles Schutz et d'Amélie Marsauche.

1931   Tuberculose pulmonaire pendant plusieurs années.

1936-39 Suivant le désir de son père, études de théologie à Lausanne et Strasbourg.

1939   Président de l'Association chrétienne des étudiants de Lausanne. Organisation de rencontres de jeunes. Création d'un groupe de jeunes qui se réunit pour des échanges et des retraites, et qui prend le nom de « Grande Communauté ».

1940   Au début de la Seconde Guerre mondiale, départ pour la France. Arrivée à Taizé le 20 août. Accueil de réfugiés, juifs notamment.

1942   De passage à Genève, il apprend qu'il a été découvert par la police d'occupation et qu'il ne peut pas rentrer à Taizé. À Genève commence une vie commune avec les trois premiers frères.

1944   Réinstallation, à quatre frères, à Taizé. Accueil de prisonniers allemands. Prise en charge de vingt enfants privés de leur famille par la guerre.

1949   Les sept premiers frères s'engagent pour toute l'existence dans la vie commune et dans une grande simplicité. Frère Roger est le prieur de la communauté.

À la suggestion du cardinal Gerlier, de Lyon, premier voyage à Rome, audience avec le pape Pie XII.

1951	Quand la communauté atteint le nombre de douze frères, quelques-uns sont envoyés partager la vie des plus démunis, d'abord dans une ville proche, puis sur les autres continents. Plus tard frère Roger ira lui-même chaque année passer quelques semaines dans des lieux de souffrance, à Calcutta, au Chili, en Afrique du Sud, au Liban pendant la guerre…
1952-53	Rédaction de la « Règle de Taizé » qui s'appellera plus tard « Les Sources de Taizé ».
1955	Vers le milieu des années 1950, des jeunes commencent à se rendre à Taizé.
1958	Première rencontre avec le pape Jean XXIII, un tournant dans l'histoire de Taizé. Depuis lors, chaque année frère Roger sera reçu par les papes Jean XXIII, Paul VI et Jean-Paul II.
1960	Des évêques catholiques et des pasteurs protestants sont invités à passer ensemble trois jours à Taizé. Première rencontre de ce genre depuis le XVIe siècle.
1962	Février, première visite à Constantinople, au patriarche orthodoxe Athénagoras.
	Au retour de Constantinople, première visite en Europe de l'Est (Bulgarie et Yougoslavie). Il y retournera ensuite souvent, jusqu'à la chute du Mur de Berlin (Pologne, Allemagne de l'Est, Hongrie, Tchécoslovaquie, Russie, Roumanie).
	Août, inauguration de l'église de la Réconciliation.
	Octobre, invité, avec frère Max, comme observateur au Concile du Vatican, il participera à toutes les sessions jusqu'en 1965.
	Décembre, visite à Taizé du métropolite Nicodim, chargé des relations extérieures du Patriarcat orthodoxe de Moscou.
1963	Juin, au Millénaire du Mont Athos, centre monastique orthodoxe.
1966	Septembre, première rencontre internationale de jeunes à Taizé ; depuis plusieurs années, des jeunes venaient de manière informelle, de plus en plus nombreux.

1970	Pâques, annonce d'un « concile des jeunes », le nombre de jeunes participant aux semaines de rencontres est en continuel accroissement.
1973	Mai, première visite en Pologne ; il parle au pèlerinage des mineurs de Piekary ; il loge chez le cardinal Wojtyla, futur pape Jean-Paul II. Septembre, l'archevêque de Canterbury, Michael Ramsay, à Taizé.
1974	Avril, à Londres, prix Templeton, pour le progrès de la religion. Août, ouverture à Taizé du « concile des jeunes » ; première lettre aux jeunes ; il en écrira ensuite une par année. Octobre, à Francfort : Prix de la paix des libraires et éditeurs allemands.
1975	Visite au Chili éprouvé par un coup d'État ; il se rendra ensuite chaque année dans des pays de l'hémisphère sud connaissant des situations difficiles.
1976	Mère Teresa à Taizé, puis Frère Roger séjourne à Calcutta, parmi les plus pauvres.
1978	Juin, première visite en Russie. Décembre, à Paris première rencontre européenne de jeunes ; il y en aura ensuite une chaque année dans une grande ville d'Europe, d'abord à l'Ouest, puis dès 1989, aussi à l'Est.
1979	Le « concile des jeunes » est remplacé par un « pèlerinage de confiance sur la terre ». Les semaines de rencontres à Taizé s'étendent sur la plus grande partie de l'année, de février à novembre.
1980	Première rencontre européenne de jeunes à Rome, accueillie par le pape Jean-Paul II.
1985	Accompagné d'enfants des divers continents, frère Roger porte au Secrétaire général des Nations Unies, Javier Perez de Cuellar, des suggestions de jeunes pour que l'ONU devienne créatrice de confiance entre les peuples. Décembre, première rencontre intercontinentale dans l'hémisphère sud, à Madras (Inde).
1986	5 octobre, le pape Jean-Paul II à Taizé.

1987	Première rencontre est-ouest de jeunes à Ljubljana (Slovénie).
1988	Juin, au Millénaire du baptême de la Russie à Moscou.
	Septembre, prix UNESCO de l'Éducation pour la paix.
1989	Mai, rencontre est-ouest de jeunes à Pecs et à Budapest (Hongrie).
	Mai, à Aix-la-Chapelle, en Allemagne, Prix Charlemagne : « L'équilibre recherché à Taizé, dit le jury, peut être un modèle pour mettre fin aux tensions en Europe, non seulement au plan religieux mais aussi politique. »
	Décembre, première rencontre européenne de jeunes à l'Est, à Wroclaw (Pologne).
1990	À cause de la chute du Mur de Berlin, le nombre de jeunes qui vont à Taizé double ; construction de vastes narthex pour agrandir l'église de la Réconciliation. Les rencontres d'été peuvent réunir jusqu'à cinq, six mille jeunes certaines semaines.
1991	Rencontre de jeunes à Manille (Philippines).
1992	Août, l'archevêque de Canterbury, George Carey, passe une semaine à Taizé accompagné de mille jeunes anglicans.
	Septembre, à Strasbourg, prix Robert Schuman, pour la contribution de Taizé à la construction de l'Europe.
1994	Mai, visite à Taizé des quatorze évêques luthériens suédois.
	Octobre, dernière rencontre avec Mère Teresa : ils participent tous les deux à Rome au Synode sur la vie consacrée.
1995	Rencontre internationale de jeunes Africains à Johannesbourg (Afrique du Sud).
1997	Parle à l'Assemblée œcuménique européenne de Graz (Autriche).
1999	« Invité spécial » au Synode sur l'Europe à Rome.
2004	Il anime pour la dernière fois une rencontre européenne de jeunes, la vingt-septième, à Lisbonne.
2005	8 avril, le dernier voyage : obsèques du pape Jean-Paul II à Rome.
	16 août, il est tué au cours de la prière du soir dans l'église de la Réconciliation à Taizé.

Les livres de frère Roger

(Les livres publiés avant 1998 sont épuisés)

Introduction à la vie communautaire, 1944
La Règle de Taizé, 1954
Vivre l'aujourd'hui de Dieu, 1958
L'unité, espérance de vie, 1962
Dynamique du provisoire, 1965
Unanimité dans le pluralisme, 1966
Violence des pacifiques, 1968

Le Journal :
Ta fête soit sans fin, 1971
Lutte et contemplation, 1973
Vivre l'inespéré, 1976
Étonnement d'un amour, 1979
Fleurissent tes déserts, 1982
Passion d'une attente, 1985

Son amour est un feu, 1988
Ce feu ne s'éteint jamais, des prières, 1990
En tout la paix du cœur, 1995 et 2002

Les sources de Taizé, 2001
Dieu ne peut qu'aimer, 2001 et 2003
Pressens-tu un bonheur ? 2005
Prier dans le silence du cœur, cent prières, 2005

Avec Mère Teresa, de Calcutta :
Le Chemin de Croix, 1986
Marie, mère de réconciliations, 1987
La prière, fraîcheur d'une source, 1992 et 1998

DVD :
Rencontre avec frère Roger
1. Aux sources d'une création
2. Serviteurs de la confiance

Pour mieux connaître Taizé :

Kathryn Spink
La vie de frère Roger, fondateur de Taizé,
Le Seuil 1998 et 2003

Olivier Clément
Taizé, un sens à la vie,
Bayard Editions 1997

Table des matières

Achevé d'imprimer
par l'Imprimerie Darantiere
à Dijon-Quetigny
en janvier 2007
pour le compte
des Presses de Taizé

Dépôt légal : juin 2006
Numéro d'impression : 26-1962